HUGO VON HOFMANNSTHAL
HELENE VON NOSTITZ

BRIEFWECHSEL

1965

S. FISCHER VERLAG

Herausgegeben von Oswalt von Nostitz

© S. Fischer Verlag, Frankfurt am Main 1965
Satz und Druck C. Brügel & Sohn, Ansbach
Einband G. Gebhardt, Ansbach
Printed in Germany 1965

VORWORT

»Das ist das Eigentliche an den menschlichen Beziehungen, glaube ich. Jede wirkliche Beziehung hat diese Kraft, gewisse Gruppen von Gedanken des Anderen so zu regieren – oder vielleicht existieren diese Gedanken nur durch diese Beziehung, jedenfalls ruft sie sie hervor, sie schafft das geistige Klima, in dem sie existieren können. So besitzt der Eine in dem Anderen Ländereien, Landschaften, Gärten, Abhänge, deren Leben nur die Strahlen dieses einzigen Sternes speisen und tränken, wie auch nur sie dieses Leben erweckt haben.«

Die Worte, die Hugo von Hofmannsthal in einem seiner ersten Briefe an Helene von Nostitz niederschrieb, könnten als Leitspruch über dem ganzen Briefwechsel stehen. Jedenfalls aber dienen sie als Rechtfertigung, wenn in der Reihe der Kommunikationen Hofmannsthals – nach dem Werkgespräch zwischen Dichter und Komponisten, nach den Dialogen zwischen Partnern, die einander durch Beruf oder Berufung nahestanden, nach dem Männergespräch zwischen Freunden, die neben warmer Zuneigung eine Vielfalt geistiger Interessen verband – nun erstmals ein Briefwechsel des Dichters mit einer Frau veröffentlicht wird.

Zweifellos handelt es sich dabei um private Äußerungen, doch nicht im Sinne einer Intimität, die Indiskretionen befürchten ließe: die Tonlage ist derart, daß keine Zeile, kein Wort gestrichen zu werden brauchte (und nur aus persönlicher Rücksichtnahme sind in ein paar Fällen die Namen erwähnter Personen chiffriert worden); privat aber sind diese Briefe, weil sie ohne jeden Gedanken an eine – sei es auch nur posthume – Publizität geschrieben wurden und ganz ohne Nebenzweck als freundschaftliche Mitteilung gedacht waren, mit der nur der Empfänger angesprochen werden sollte.

›Briefe . . . der schönste, unmittelbarste Lebenshauch‹ – das Wort aus den ›Wahlverwandtschaften‹ Goethes, gewissermaßen eines

5

Schutzpatrons beider Partner, dürfte daher in diesem Falle ohne Einschränkung gelten, und weil diese Zeugnisse so zwanglos entstanden sind, weil sie keiner Konvention, keiner starren Verpflichtung ihren Ursprung verdanken, auch keinem blinden Getriebensein, wohl aber der milderen Flamme gegenseitiger Sympathie – freilich der Sympathie zwischen einem äußerst sensiblen Manne und einer ebenso feinfühligen Frau –, gerade deshalb konnte sich das ›geistige Klima‹ einstellen, über das nunmehr – aus der Distanz eines halben Jahrhunderts – eine in vielem veränderte Nachwelt urteilen mag.

Dieses Klima hatte freilich neben individuellen auch allgemeinere Kennzeichen. Die Kontinuität der Lebensart, das ungebrochene Naturgefühl, der immer wieder betonte Zusammenhang mit der Landschaft, das Vertrautsein mit der großen Literatur des 19. Jahrhunderts im Zeichen Goethes, Balzacs und Dostojewskis, das Streben nach einem ›neuen Stil‹, nach einer Verbindung von Kunst und Leben, die Gleichgestimmtheit mehrerer ›wirklicher und naher Freunde‹, ein ›Kreis von Menschen, der Wärme und Mitfreude durch das ganze große Deutschland leitet‹, – alle diese Merkmale einer Generation – genauer gesagt, eines musischen Kreises innerhalb dieser Generation – spiegeln sich in den Briefen wieder. Wenn diese gleichwohl heutige Betrachter zuweilen wie Scherben einer zerbrochenen Zauberkugel anmuten, so liegt das wohl nicht nur an unserem durch zwei Weltkatastrophen veränderten Standort, sondern schon an der Natur der Zeugnisse selbst. Spricht nicht eine verborgene Unruhe aus der Bemerkung Hofmannsthals: ». . . meine Beziehungen zu den Menschen, so lieb sie mir sind, müssen intermittierend sein.« (26. 11. 1909), und wird nicht bereits der Abstand zu Goethes Epoche deutlich, wenn er (am 15. 10. 1907) schreiben konnte: »Wir sind keine Menschen für Briefe, die ganze Zeit ist nicht danach. Nur, um sich nicht völlig zu verlieren, dafür sind Briefe, mehr sind sie nicht.«? In gewissem Sinne wären somit diese Dokumente fragmentarisch,

– ein Umstand, der noch dadurch verstärkt wird, daß namentlich Hofmannsthal die empfangenen Mitteilungen nicht zu allen Zeiten sorgfältig aufbewahrte (so fehlen zum Beispiel die Briefe, die ihm Helene von Nostitz in den Jahren 1916–1921 geschrieben hat) und daß bei persönlichen Begegnungen naturgemäß eine Pause in der Korrespondenz eintrat.

Für die Edition ergaben sich hieraus einige Folgerungen.

Vor allem schien es geboten, nach Möglichkeit den Hintergrund dieser Korrespondenz zu erhellen, auch durch Details, die den Zeitgenossen durchaus vertraut waren, heute aber entlegen anmuten. Die Anmerkungen sind daher ziemlich ausführlich gehalten, um die Erwähnung von Menschen und Begebenheiten wie auch von Lesefrüchten, von Werken Hofmannsthals und ihrer Entstehungsgeschichte durch Daten und Hinweise, gegebenenfalls auch durch anderweitige Aufzeichnungen der Partner, zu verdeutlichen und zu ergänzen. Die teilweise mühsamen Recherchen hätten ohne freundliche Hilfe nicht zum Erfolg geführt. Hierfür sei an dieser Stelle namentlich Günther Erken, Rudolf Hirsch, Graf Georg Nostitz, Evelyne Schütte geb. Richter und Werner Volke besonderer Dank gesagt.

Ferner dürfte es nicht überflüssig sein, den Verlauf der Beziehung insoweit zu skizzieren, als er nicht ohne weiteres aus den Briefen ersichtlich wird.

Helene von Nostitz war sechsundzwanzig, Hugo von Hofmannsthal einunddreißig Jahre alt, als sie einander kennenlernten. Beide standen damals am Beginn eines zweiten Lebensabschnitts.

Helene von Nostitz hieß mit ihrem Mädchennamen von Beneckendorff und von Hindenburg. Ihr Vater, General Conrad von Hindenburg (ein Vetter Paul von Hindenburgs, des Generalfeldmarschalls und Reichspräsidenten), hatte frühzeitig den Abschied erhalten, weil er bei einem Kaisermanöver einem Befehl nicht nachgekommen war, der seine Soldaten unnötig gefährdete; ihre Mutter war eine Tochter des Fürsten Georg Münster (eines hannoveranischen Standesherrn, der 1873 bis 1900 Botschafter in London und Paris war) und seiner ersten Frau, geborenen Prinzessin Alexandrine Galitzin. So wuchs sie in vielfältiger Tradition und ebenso in einem europäischen Klima auf, das ihren musischen Neigungen zugute kam. Sie malte impressionistische Aquarelle und hatte es im Klavierspiel zu einer für eine Liebhaberin beachtlichen Stufe gebracht. Mit ihrer Mutter war sie oft auf Reisen, in Rußland, England, Italien und Frankreich. In die Zeit der Pariser Weltausstellung fällt der Beginn ihrer Freundschaft mit Auguste Rodin. Im Jahre 1904 heiratete sie Alfred von Nostitz-Wallwitz, der damals im sächsischen Verwaltungsdienst stand, zugleich aber mit der künstlerischen Avantgarde jener Zeit – mit den Herausgebern des ›Pan‹, namentlich Harry Graf Kessler, auch mit Henry van de Velde – in engem Kontakt stand. Die jungen Eheleute lebten seit November 1904 in Dresden; so ergab es sich ganz natürlich, daß sie ein paar Monate später einer Einladung ihres gemeinsamen Freundes Kessler nach dem nahen Weimar folgten, für die ein Vortrag Hofmannsthals den Anlaß bot. Kessler, damals Direktor des Weimarer Museums, war bestrebt, Weimar zu einem kulturellen Brennpunkt zu machen, wobei ihm sein künstlerischer Spürsinn, seine Mittlergabe, seine vielfältigen Beziehungen als Sohn eines angesehenen Bankiers und einer vornehmen Irin zustatten kamen. Seine Freundschaft mit Hofmannsthal ging auf das Jahr 1898 zurück. Der Dichter, der jetzt am Beginn einer neuen Schaffensperiode stand – der Chandos-Brief, der seine Jugendzeit abschließt, datiert vom Jahre 1902 – besuchte ihn im Frühjahr 1905 zum zweiten Male in Weimar; seine junge Frau begleitete ihn. In der Cranachstraße 15, dem Hause Kesslers, kam es am 29. April zu der ersten Begegnung mit dem Ehepaar Nostitz. Die Atmosphäre dieses Ortes und Tages hat Helene von Nostitz in ihrem Erinnerungsbuche ›Aus dem alten Europa‹ wie folgt festgehalten:

»Das Feuer brennt im Kamin und wirft einen Schein auf die festlichen Reiter des Parthenonfrieses. Hellgelbe Bücher stehen in weißen Schränken. In den Glasvitrinen aber schauen liebliche Frauengestalten Maillols in Spiegel, die ihre reinen, strengen Formen wiedergeben. Über dem mattlila Diwan ziehen Nymphen Maurice Denis' durch einen phantastischen Wald. Vor dem Fenster steht eine altchinesische Bronzeschale, ein Gruß der Künstler dreier Nationen an den Herrn des Hauses, Harry Kessler ... die Tür ist nach dem Schreibzimmer geöffnet, diesem langen nachdenklichen Raum, wo über Reihen köstlicher Bücher die Bilder französischer Impressionisten erglühen wie bunte Blumen. Auf dem Schreibtisch erhebt sich wie ein Baum wieder eine Frauengestalt Maillols und fängt den Sonnenstrahl, der ihre sehnsuchtsvolle und doch herbe Bewegung küßt. Unter den Bildern stehen auf den breiten Bücherbrettern nur wenige Bronzeskizzen Rodins. In der Ecke eine Terrakottabüste des Malers Terrus von Maillol... Das erste Mal, als ich dieses Haus betrat, spielte Ansorge ein Stück von Beethoven. Herb und fein zogen die Töne durch die hellen Räume. Über dem Klavier hing ein nachdenkliches Selbstporträt van Goghs. Hofmannsthal lauschte im anderen Zimmer versonnen unter dem Wandbilde Maurice Denis' mit jenem Blick, den er nur dem Entscheidenden gegenüber öffnet. Er sollte denselben Vormittag seinen Vortrag über ›Shakespeares Könige und große Herren‹ für den Shakespearetag halten. Zum ersten Male hörte ich hier die Sprache, die auch Zwischendinge, die nicht nur mit Liebe und Tod zu tun haben und doch bestimmend für uns sind, so lebendig macht. Wie aus einer Landschaft ein Bild klar in unserer Seele bleibt, so denke ich immer noch an die Stelle des Vortrags, die von Brutus erzählt, wie er dem schlafenden jungen Lautenspieler die Laute wegnimmt, damit sie nicht zerbricht. Diese sanfte kleine Bewegung mitten zwischen Tod und Verderben! Dann vereinigten wir uns vor den Bildern Monets in einer Ausstellung, die Kessler veranstaltet hatte. Wie die Tonfolgen eines Musikstücks reihte sich alles einander, bis der Tag seinen Ausklang im Park von Belvedere fand.«

In einem Brief Hofmannsthals vom 15. Mai 1907 heißt es: ». . . in einem gewissen Sinn, den Sie niemals zu ergründen brauchen und der Sie niemals bekümmern kann, brauche ich Sie sehr notwendig für mein Leben, für das Leben meiner Phantasie oder meiner Gedanken . . .« Es hat ganz den Anschein, daß der damit angedeutete Prozeß schon nach dieser ersten Begegnung einsetzte, der erst anderthalb Jahre später eine zweite folgen sollte. Für diese Annahme spricht ein Zeugnis: das im Frühjahr und Sommer 1906 in zwei Phasen entstandene Prosastück ›Unterhaltung über den 'Tasso' von Goethe‹. Im Freundeskreis Hofmannsthals war man der Meinung, für das eine der am Gespräch über das Goethesche Stück beteiligten Paare: für den Major und seine Frau, die als Baronin bezeichnet wird und deren Vornamen Helene man am Schluß erfährt, habe das Ehepaar Nostitz als Vorbild gedient. Im Briefwechsel wird das ›Werkchen‹ öfters erwähnt, freilich ohne klaren Hinweis auf diese Genese; erst mehr als sieben Jahre danach, im Januar 1914, gebraucht Hofmannsthal die Formulierung ». . . den Dialog über den Tasso, worin die Frau vorkommt, die Helene heißt und die dann den Aufsatz über die 'Prinzessin' einschickt«, als er Vorschläge für eine Lesung im Nostitz'schen Hause macht. Das ist allerdings ziemlich deutlich, und auch die vorher von ihm geübte Zurückhaltung paßt durchaus ins Bild: es war nicht Hofmannsthals Art, in der Wirklichkeit erlebte Gestalten photographisch zu fixieren, und wenn sie ihm einmal zur Kristallisierung seiner Vorstellungen verholfen hatten, ging es ihm eher darum, die Spuren zu verwischen; auch empfand er wohl gegenüber den Beteiligten eine natürliche Scheu. Trotzdem verbliebe man im Bereiche der Mutmaßungen, wenn nicht die psychologische Wahrheit einen klareren Hinweis gäbe. Gewisse Züge der ›Baronin‹: ihr erratendes oder verstehendes Nicken und ihr undurchsichtiges oder vieldeutiges Lächeln während des Gesprächs, in dem sie ›in bewundernswerter Weise ihre Individualität wahrt, ohne den Mund aufzumachen.‹ (Vgl. Anm.

zu H. v. H. 31. 7. 1908), daneben die Eigenheit, daß sie englische Wendungen in den kleinen Aufsatz über die Prinzessin einflicht – wie sie sich dann auch in einigen der an Hofmannsthal gerichteten Briefe finden –, schließlich einige im Dialog angedeutete physiognomische Merkmale: das alles läßt für jeden, der Helene von Nostitz näher gekannt hat, kaum einen Zweifel bestehen, daß sie die Phantasie des Dichters in diesem Fall inspirierte. So wäre denn die literarische Beschäftigung mit ihrer Erscheinung gewissermaßen das Vorspiel gewesen für die reale Beziehung, die dann, sehr bald nach Abschluß des Prosastücks, mit Hofmannsthals erstem Brief vom 3. Oktober 1906 einsetzt, ohne daß damit die Befruchtung seiner Phantasie ein Ende gefunden hätte. Freilich lassen sich hierfür nur wenige Hinweise entdecken; die Spuren sind nun noch gründlicher verwischt. Die Gestalt der Helene Altenwyl in ›Der Schwierige‹, die etwa seit 1908 deutlichere Konturen annimmt, obwohl das Stück erst 1919 beendet wurde, zeigt jedoch Züge, die ausgesprochen an Helene von Nostitz erinnern. Ferner hat sie Hofmannsthal wenigstens in einem Fall bei der Entstehung einer Arbeit geholfen. »Sehr gern bin ich morgens in dem kleinen Akropolis Museum, bei den lächelnden archaischen Frauen, dort kommt man vielleicht dem eigentlichen Empfinden dieser Zeit am nächsten«, schrieb sie ihm am 6. April 1912 aus Athen und sprach damit in nuce den gleichen Gedanken aus, der dann in dialektischer Form seinen Ausdruck in dem Aufsatz ›Die Statuen‹ gefunden hat. Diesen dritten Teil der ›Augenblicke in Griechenland‹, der einer längeren Ausreifung bedurfte als die beiden anderen Stücke, hat Hofmannsthal erst im Jahre 1914 niedergeschrieben, nachdem das Thema im Dezember 1912 Gegenstand eines Gesprächs mit Helene von Nostitz gewesen war (Vgl. Anm. zu H. v. H. 29. 11. 1912) und sie ihm die Photographie einer jener Koren aus dem Akropolis-Museum geschenkt hatte, die bis zur Vollendung des Aufsatzes in seinem Arbeitszimmer hing.

Damit wurde schon vorgegriffen. Die persönliche Begegnung Ende 1912 war gewissermaßen Höhepunkt der ersten Phase der Freundschaft, die im Briefwechsel ihren Niederschlag gefunden hat, einer Phase, die im Spätherbst 1906 beginnt und bis in die ersten Kriegsjahre hineinreicht. Wenn auch zuweilen Unterbrechungen eintreten, die vor allem durch Hofmannsthals Arbeitsrhythmus bedingt sind, so ist doch die Beziehung zwischen den Briefpartnern in diesem Zeitraum besonders intensiv und wird immer wieder durch persönliche Begegnungen belebt. Das Ehepaar Nostitz wohnte in jenen Jahren an verschiedenen Orten: Dresden (1904 bis 1908), Weimar (1908–1910), Auerbach im Vogtland (1910 bis 1913) und Leipzig (1913–1916). »Nach den ersten Begegnungen schenkte uns Hofmannsthal alljährlich mit einer Treue, die auch Hindernisse nicht scheute, seinen Besuch – in Dresden, so in Weimar und Auerbach und Leipzig«, schreibt Helene von Nostitz in ›Aus dem alten Europa‹, und neben den Briefen haben ihre in die Anmerkungen aufgenommenen ›Aufzeichnungen‹ hiervon die Spuren bewahrt. (Allein der Besuch in Leipzig bildet hier eine Ausnahme. Aus Briefen Hofmannsthals an seine Frau und an Leopold von Andrian wissen wir jedoch, daß er dort – auf mündliche Anregung von Alfred von Nostitz – am 1. März 1916 im Nostitz'schen Hause in der Wiesenstraße ›eigentlich ganz improvisiert‹ über ›Das Phänomen Österreich‹ gesprochen hat: vor einem geladenen Kreise von ›50 Herrn‹ – darunter Arthur Nikisch – und daher ›freier und zutraulicher als vor einer großen Versammlung‹. Skizzen zu diesem Vortrag sind im Nachlaß erhalten.)

Auf solche Weise entwickelte sich ein Austausch, der sich nicht auf die künstlerische Sphäre beschränkte, sondern von menschlicher Anteilnahme erwärmt und von einem Humor erhellt wurde, durch den namentlich Hofmannsthal lästigen Alltagsdingen – komplizierten Verabredungen und ›Combinationen‹ – immer wieder ihre Schwere zu nehmen verstand; seine vergeblichen Bemühungen, einen Freund zu verheiraten und hierfür die Unterstützung der Briefpartnerin zu gewinnen, lesen sich wie der Entwurf einer Komödie! Und um bei seinem Landschafts- und Gartengleichnis zu bleiben, so hat er sich zuweilen auch als Gärtner betätigt – was dankbar angenommen wurde –, ja einmal in einer Lebenskrise der Freundin vielleicht entscheidend zu deren Überwindung beigetragen. Das geschah eben während jener Begegnung im Jahre 1912.

Bei dem gleichen Zusammensein kündigte sich schon das Nahen der neuen Epoche an. Es war die Zeit des ersten Balkankrieges und das ›unheimliche Beben, das damals von Osten her durch den Kontinent lief‹, wurde von Hofmannsthals wachem Geist wie von einem Seismographen wahrgenommen. In ihrem Erinnerungsbuch berichtet Helene von Nostitz, wie er bei seinem Besuche in Auerbach nach einer Lesung der Goetheschen Betrachtungen über die Unsterblichkeit plötzlich schroff abbrach, als sich die Unterhaltung literarischen und künstlerischen Dingen zuwenden wollte, um stattdessen ›mit seltsam seherischem Ausdruck von kommenden Zeiten schwerster Gefahr‹ zu sprechen, ›vor deren Not alle nur ästhetischen Werte als belanglos verblassen würden‹. Dann habe er sein Vorwort zu den soeben erschienenen ›Deutschen Erzählern‹ vorgelesen: » . . . Die Zeiten sind ernst und beklommen für die Deutschen, vielleicht stehen dunkle Jahre vor der Tür . . . «.

Der Ton, der hier bei ihm anklingt, dominiert in den Kriegsjahren, trotz der Hochstimmung des August 1914, die sich sehr bald verflüchtigt. Zugleich ist es die Zeit, in der sich Hofmannsthal intensiv mit dem Wesen Österreichs, dem zwischen den Österreichern und den Deutschen bestehenden Verhältnis beschäftigt und eine Wendung zum Politischen hin vollzieht, die immer stärker unter europäischem Vorzeichen steht. Als Alfred von Nostitz im Sommer 1916 zum sächsischen Gesandten in Wien ernannt wird – ein Posten, den er bis Oktober 1918 innehatte, da er für wenige Wochen sächsischer Kultusminister wurde,

–, ergeben sich viele Gemeinsamkeiten zwischen den beiden Männern. Man kann sagen, daß ihre Freundschaft damals wesentlich vertieft worden ist. Hofmannsthals Briefe, die in jener Wiener Zeit meist an Alfred von Nostitz gerichtet sind – leider blieben die Gegenbriefe nicht erhalten –, zeugen von diesem lebendigen Kontakt, der auch in den Nachkriegsjahren andauert: sein grundlegender Brief vom 16. Juni 1924, der über die persönliche Beziehung hinaus von dem tiefen Verhältnis zu seinen deutschen Freunden Rechenschaft ablegt, erbringt hierfür die schönste Bestätigung.

Die freundschaftliche Beziehung zu Helene von Nostitz tritt demgegenüber nur scheinbar in den Hintergrund. Zwar bedeutet die räumliche Nähe in den Wiener Jahren eher ein Hindernis. Hofmannsthal, der sich vom Wiener Gesellschaftsleben stets ferngehalten hat, ist in dieser Zeit äußerster Spannungen noch mehr auf Abgeschiedenheit bedacht und meidet den Nostitz'schen Salon in der Prinz Eugen-Straße, doch bildet sich bald ein modus vivendi heraus. Er erweist sich ›als ein wunderbarer Interpret seines Landes‹; man wandert mit ihm durch die österreichische Landschaft oder besucht ihn öfters im Familienkreis in seinem kleinen Rodauner Barockhaus, sieht ihn auch einmal in seinem Refugium hinter dem Stephansdom, das Helene von Nostitz als charakteristische Äußerung seines Wesens erscheint: »Grauseidene Vorhänge deckten das ganze Zimmer, auch die Wände, die Tür, und trennten es entschlossen von der Außenwelt. Als einziger Schmuck stand da ein großer chinesischer Teller von phantastischer Pracht. . . Hier war das Gespräch tief ohne Schwere, fern von allem und doch weltumspannend.«

In den Nachkriegsjahren haben dann die Freunde lange mit materiellen Schwierigkeiten zu kämpfen; das Reisen ist erschwert und damit die Möglichkeit gegenseitiger Besuche; das Leben wird hektischer, so daß auch die Korrespondenz nicht mehr mit der gleichen Stetigkeit geführt wird. Doch spürt man aus den spärlicheren Briefen eine unveränderte Verbundenheit; wenn sie zuweilen betont wird, ist das gewiß keine leere Floskel. Und bei den seltenen Begegnungen stellt sich sogleich die alte Atmosphäre wieder ein. Im Sommer 1920 sieht man sich in Salzburg bei der Erstaufführung des ›Jedermann‹ und findet im Trubel der Festspieltage Zeit für einige ruhige Gespräche und Spaziergänge. Den Eindruck des Zusammenseins in Berlin im November 1927 gibt Hofmannsthals letzter erhaltener Brief wieder, und ein Jahr später erinnert Helene von Nostitz in ihrem letzten Brief an das Zusammensein in Ernstbrunn bei Wien, auf das kein weiteres folgen sollte. In ihrem Buche ›Aus dem alten Europa‹ aber spricht sie noch von einer anderen Begegnung, die zu Beginn dieses selben Sommers 1928 an einem Ort gemeinsamer Erinnerungen stattfand und schon wie ein Abschied anmutet:

»Ein Jahr vor Hofmannsthals Tode eilte ich, geheimnisvoll getrieben, obwohl sich alle Umstände dagegen verschworen, noch im letzten Augenblick nach Dresden zur Premiere der ›Ägyptischen Helena‹. Gegen Abend kamen wir verspätet in die Vorstellung – in demselben Hause, wo wir vor so vielen Jahren die strahlend festliche Aufführung des ›Rosenkavaliers‹ erlebt hatten. Heute war ich seltsam erschüttert; es schien mir die Dichtung nur von Abschied, Verzicht und Tod zu sprechen ... Am nächsten Tage, vor meiner Abfahrt, fand sich noch eine stille Stunde. Kaum je habe ich so unmittelbar mit Hofmannsthal reden können; und es war wieder die Stimmung, aus der heraus ich ihm einst nach der Aufführung vom ›Abenteurer und Sängerin‹ geschrieben und er mir geantwortet hatte: ›Ein kurzer Brief zuweilen spricht den ganzen Menschen aus, gibt dem Empfänger das ganze Gefühl einer wesenhaften Gegenwart, unverlierbar, solange nicht der Tod dazwischentritt, nein unverlierbar auch über den Tod hinaus.‹«

Oswalt von Nostitz

BRIEFWECHSEL

Rodaun, den 3. x. 06

meine gnädige Frau,

ich habe einem Verein in Dresden vor mehr als einem halben Jahr zugesagt, diesen 25ten October dort zu lesen, und nun, da dieses Datum näherrückt, muß ich es mir eingestehen, wie viel Anteil an diesem Entschluß die Hoffnung, Sie und Herrn von Nostitz zu sehen, gehabt hat. Daß man auch nach Dresden kommen und Sie nicht finden könne, das fällt mir nun plötzlich ein, so lebhaft, und so unerfreulich, daß es mir noch erträglicher scheint, eine nicht ganz bescheidene Form zu wählen und diesen Besuch vier Wochen vorher anzumelden.

Ich werde sehr glücklich sein, wenn eine kurze Zeile von Ihnen oder Herrn von Nostitz mir sagen wird, daß ich die Freude haben werde, Sie in Ihrem Haus zu finden.

Ihr ergebener   Hofmannsthal.

Dresden, Wienerstraße 1   7. October [1906]

Lieber Herr von Hofmannsthal

Wir haben uns sehr gefreut, daß Sie so gedacht und gleich geschrieben haben! – Ich werde sicher in den Tagen in Dresden sein. Nur mein Mann muß leider gerade dann mit dem König reisen. Er ist sehr traurig darüber.

Ein früherer oder späterer Tag ließe sich wohl nicht aussuchen, da alles so lange vorher bestimmt ist? z. B. zwischen 16. u. 22. Oct. oder zw. 7. u. 15. Nov. Nein, es wird wohl nicht gehen, und ist nur so ein Gedanke. –

Ich habe diesen Sommer mit großem Genuß den Ödipus gelesen und wieder gelesen, besonders den letzten Act. Der ist von einer großartigen Gewalt.

Also jedenfalls hoffentlich auf baldiges Wiedersehen. Klopfen Sie an unsere Tür so oft Sie wollen und zu jeder Zeit, Sie werden immer sehr willkommen sein.

Mit vielen Grüßen von uns beiden auch an Ihre Frau

Ihre Helene Nostitz

Weimar, den 1ten XI. [1906]

Liebe gnädige Frau,

Sie erlaubten, von dem Eindruck der Salome eine Nachricht zu geben. Er war sehr stark: ein schwer zu beschreibendes heftiges und die ganze Zeit andauerndes Vergnügen, ein schwingendes und ungewöhnliches Glücksgefühl. Man ahnte unter einem glitzernden Schleier noch viel mehr Schönheit, als die Sinne in dieser Rapidität aufnehmen wollten. Ich habe keine Ahnung, welchen Rang das als Musik einnimmt. Es ist möglich, daß das was man die Farbe nennt, in einer gefährlichen Weise überwiegt und daß das andere Element, das schwer zu benennende, worin Beethoven ungeheuer ist: die innere Seelenbewegung, hier verhältnismäßig unzulänglich ist. Vielleicht ist es eine sehr vergängliche Musik, für den gegenwärtigen Augenblick aber, aus dem sie heraus geboren ist, ist sie voll Kraft, zu entzücken, und der Augenblick ist so viel – auf Augenblicke hin müssen wir zu leben verstehen.

Die Vorstellung war über jedes Lob und ich danke ihr gewiß einen großen Teil meines (so gar nicht auf Verständnis begründeten) Vergnügens. Burian, den Sie mir öfters genannt hatten, war der erfreulichste Sänger und der merkwürdigste Darsteller. Die Salome (einer Frau Krull) war auch vortrefflich.

So haben die lieben und schönen Dresdener Tage mit einer intensiv schönen Stunde aufgehört.

Hier ist Sonne, viel schönes Laub noch auf den Bäumen und Harry wohler, als ich gehofft hatte und so unendlich klug, unterhaltend, gütig und belebend wie nur je.

Ich wäre sehr glücklich, hie und da zu wissen, wie es Ihnen und dem Baby geht.

Bitte sagen Sie Herrn von Nostitz von mir viele Liebenswürdigkeiten.

Ihr Hofmannsthal

Wienerstraße 1 [Anfang November 1906]

Lieber Herr von Hofmannsthal,

Ich sitze hier beim Baby, dem es Gott sei Dank ganz gut geht.

Mein Mann ist zurück – die Sonne scheint – Ich bin gestern im schönen Walde spazieren gefahren – Das sind also alles ganz gute Nachrichten über die Familie Nostitz.

Sogar den Tag habe ich gelesen und Sie brachten mich dazu, daß ich die Bekanntschaft der Schwestern machte. – Ich wurde nicht enttäuscht.

Als Kind fuhr ich einmal bei stürmischem Meer nach der Insel Elba. Unten saßen Gefangene, mit schweren Ketten beladen, die unheimlich klirrten, wenn der Sturm schwieg. – Als wir uns der Insel näherten, war das erste, was uns entgegensah, das Gefängnisgebäude. Aus einem Fenster schaute ein ganz kleines weißes Gesicht auf das weite Meer hinaus. So sind die Schwestern und sie haben diese Note des »Abgestreiften«, von der wir sprachen.

Wie schön unsere Gespräche waren. Hoffentlich halten Sie Ihr Versprechen im December wieder zu kommen. Mein Mann freut sich auch so sehr darauf.

So kräftigt man sich gegenseitig, gegen das Hohle, Unreligiöse einen kräftigen Kampf zu führen, gegen die Unschönheit oder wie Sie es nennen wollen.

Die Salome habe ich noch immer nicht gesehen. Ich versuche sie mir manchmal auf dem Klavier vorzustellen – aber sie braucht den Glanz des Orchesters.

Wir grüßen beide vielmals   Ihre Helene Nostitz

Liebe gnädige Frau

Wie gerne wollte ich für Ihren guten Brief nicht nur mit wenigen
Worten danken, sondern Ihnen einen ordentlichen Brief schreiben.
Wie oft fallen mir abgerissene Stücke unserer Gespräche ein (über
was haben wir nicht alles gesprochen!) und ich möchte etwas fort-
setzen, anders sagen, umwenden, ergänzen. Aber leider – ich blieb zu
lang in Weimar (und doch war [es] uns zu kurz, wir sprachen 13 Stunden des Tags miteinander, das ist ganz wahr, von 10 Uhr früh bis
11 Uhr nachts ohne eine Pause, und das mehrere Tage nacheinander
und doch wars zu wenig) und dann ging ich noch mit Harry nach
Berlin, wir sahen die merkwürdige reizende Tänzerin, sahen einen
neuen höchst bedeutenden Menschen – aber ich versäumte zu viele
Tage, kam zurück, fand unendliche Briefe zu beantworten und jetzt
macht mir der elende Vortrag so viel Mühe, ich habe diese Angst,
ihn nicht zustande zu bringen, müßte dann alles absagen, das täte
mir so leid – aber es wird schon werden, es muß eben werden, nur
bin ich jeden Abend so todmüd und auch jetzt und hätte solche
Lust, von vielem zu sprechen und muß nur das Trockenste sagen.

Ich freue mich ja so sehr, im December kommen zu dürfen, wie
sehr! Wie hübsch kann es sein. Aber ob es sich combiniert? Ob
Sie wohl genug sein werden? und das Baby?
Ich hoffe sehr, Sie müssen nicht kurz vor diesen Tagen nach Berlin,
dann wären Sie sicher müde. Meine Tage wären der 12.–14te.
Nun werden Sie mir gewiß nicht erlauben, bei Ihnen zu wohnen,
da Sie gehört haben, daß man dann 13 Stunden keine Ruhe hat.
Aber das war doch eine Ausnahme. Harry hatte auch so große
Lust zu sprechen, weil er 2 Monate allein zu Bett gelegen hatte.
Ich habe gestern das Bild geschickt, von dem ich glaube, es ist
dieses, was Sie meinten. Es ist von unbescheidener Größe. Aber
ich glaube sicher, das ist dieses, welches Harry hat. (Leider vergaß ich in Weimar nachzusehen.) Wenn es nicht dieses war, oder

sonst unsympathisch ist, (man kann das selbst ja nicht beurteilen) so geben Sie es mir bitte zurück.

Ihres findet meine Frau so besonders gut und hübsch. Ich auch hübsch, aber ich bin so gar nicht gewöhnt, Sie von der Seite zu sehen, es ist mir zu sehr »schöne Dame«, für mich liegt alles in dem Ausdruck Ihrer Augen, den fragenden oder aufleuchtenden oder bestimmten oder zögernden. Also ich hoffe von den nächsten wird eines von vorne, de face (Hofdamen in Deutschland sagen en face doch das heißt gegenüber.)

Ich habe zu dem unbescheiden großen Bild ein sehr sympathisches von Hauptmann gelegt, welches ich gerade doppelt habe. Warum von Hauptmann? Weil ich in Weimar, mit Harry in »Pippa« blätternd eine sehr hübsche Zeile fand. »Ich langweile mich«, sagt einer. Ein anderer sagt darauf: »Langeweile ist, wo Gott nicht ist.« Es paßt genau in ein Gespräch (das Sie vielleicht vergessen haben.)

Ich werde später noch einmal anfragen, ob ich daran denken darf, zu kommen.

Das Buch über Kant gibt einem ungeheuer viel, man muß es nur langsam lesen (das Lesen ist eine große Kunst und alle Leute, die sonst alles im Leben nett und klug anfassen, Menschen, Natur, Musik, behandeln das Lesen cavalièrement) und nicht wenn man einen müden Kopf hat (wie ich heute)

Das Buch mit den kleinen Theaterstücken schick ich nächstens, möchte aber so gern einen ganz kleinen Commentar dazu schicken. Der Tassoaufsatz ist nicht vergessen, nur ist er vergriffen, Harry läßt ihn nachdrucken, dann kommt er.

Wie gräßlich terre à terre ist dieser Brief. Bitte verzeihen Sie es.

Werden Sie mir noch hierher eine ganz kleine Zeile schreiben, wie es Ihnen und dem Baby geht? Ich wäre sehr froh.

Ich empfehle mich Herrn von Nostitz herzlich.

Ihr Hofmannsthal.

[Auf der Rückseite einer beigefügten Photographie von Christiane und Franz. v. H.] Christiane und Franz lassen das ganz kleine Baby in Dresden grüßen und möchten gern wissen, wie es heißt.

Lieber Herr von Hofmannsthal

Ihr Brief war gar nicht terre à terre und hat mich sehr gefreut. – Auch das Bild, das nicht die abgeschlossene Härte der conventionellen Photographien hat – Elle a de l'espace – Ich glaube, es war das, was ich meinte. Und Hauptmann am Meer –

Bitte kommen Sie am 12ten, wir freuen uns so sehr darauf (der 12te paßt uns sehr gut bis zum 14ten, da wir am 15ten verreisen müssen) und Ihre Erzählungen über das viele Sprechen erschrecken uns nicht; denn wenn die Ermüdung die Luft erfüllt, werden wir uns schon trennen. Wenn es stundenlang gedauert hat und man hat es nicht bemerkt, dann ist es gut so gewesen. Ich will auch heut nur ganz kurz schreiben, denn sprechen ist besser. Dem Baby und mir geht es unberufen viel besser, und der Arzt will mich in einigen Tagen, hoffentlich auf lange, ganz verlassen.

Eben habe ich mich wieder mit dem lieben alten Freund Balzac unterhalten. Er hat mir von dem Meer erzählt, in seiner monumentalen Art, doch auch wieder die kleinste Muschel nicht vergessend. Hoffentlich kommt das Tasso Gespräch bald. Sie haben mir wieder Lust gegeben die Märchen von Tausend und eine Nacht zu lesen. Mein Mann grüßt Sie vielmals. Also, Sie kommen, nicht wahr?

Ich fühle mich jetzt ganz frisch, unberufen – Wir haben an Sonntagen so wundervolle Fahrten durch die Felder gemacht – weite grüne Flächen um uns, während die Stadt schon so grau und winterlich ist. – Überall entdeckt man alte Gärten, alte Lustschlösser August des Starken, die mit einer genialen Affectiertheit manchmal mitten zwischen Kartoffelfeldern liegen.

Aufwiedersehen bald und viele Grüße Ihrer Frau und den reizenden Kindern, denen ich vielmals für ihr hübsches sonniges Bild danke.

Ihre Helene Nostitz

[Englischer Hof, Frankfurt] Dienstag [4. Dezember 1906]

Liebe gnädige Frau, ich war sehr glücklich über Ihren Brief, der mich hier erreichte, denn obwohl selbstverständlich gar kein Grund war, daß Sie mir hätten schneller antworten sollen – so hatte ich mir doch schon hypochondrische Gedanken gemacht, daß es Ihnen oder dem Baby nicht gut ginge, und wollte schon an Herrn von Nostitz schreiben.

Beim zweiten Lesen Ihres Briefes bemerkte ich dann erst die kleinen Zeilen, die Sie querüber geschrieben hatten und bin nun ein bischen unglücklich, Ihnen mit etwas kommen zu müssen, was Sie ebenso wenig leiden können wie ich selbst: das ewige Combinieren.

Sie sprechen davon, daß Sie mich den 12ten–14ten erwarten, genau den 12ten–14ten und nicht den 13ten–15ten, weil Sie den 15ten selbst reisen müssen. Nun freue ich mich so sehr. Freue mich schon die ganze Zeit auf die 2 Tage in Dresden, und weniger als 2 bei Ihnen zu verbringen, wäre mir eine große Enttäuschung. Andererseits ist es mir wirklich so peinlich, Sie zu stören und zum Combinieren zu zwingen: aber müssen Sie absolut den 15ten reisen? Nämlich: es bleiben mir für Berlin (da ich übermorgen abends erst in Göttingen lese) dann genau 4½ Tage (selbst wenn ich erst den 12ten gegen abends nach Dresden fahre) und dann fällt der Tag, an dem ich abends vortrage, eigentlich der Nerven wegen weg, so bleiben mir 3½ Tage, und ich habe ungefähr 25 Menschen zu sehen, darunter vier oder fünf, mit denen ich schwere lange Dinge zu besprechen habe. Es ist kaum möglich eigentlich selbst wenn ich mir schon um 9 Uhr früh Menschen ins Hotel bestelle, und dann den ganzen Tag von einem zum anderen fahre – Theater oder so was wäre dann gar nicht zu denken. Ich dachte schon, von Dresden wieder zurück nach Berlin zu fahren, aber das ist doch nicht möglich meiner Frau wegen, die ich schon so viel und lang allein lasse . . . Werden Sie Ihre Abreise 1–2 Tage verschieben können? Das wäre so schön. Es wäre mir s o leid, wenn ich schließlich Sie nur einen Tag sehen könnte, da kann man nicht einmal anfangen, zu reden. Ich bin ganz traurig, daß das schöne Dresden nun wieder ein bischen fraglich wird. Wie schön!! wenn ich in Berlin (Savoy) eine beruhigende Zeile fände. Aber obs geht?

Ihr H.

1 Wienerstraße   6. Dec 06

Lieber Herr von Hofmannsthal,

Wie sehr leid tut es mir Ihnen sagen zu müssen, daß wir die Pläne nicht umändern können aus vielen Gründen, die wie kleine Steine schließlich ein festes, unerschütterliches Gebäude aufgetürmt haben –

Wie gern würde ich Ihnen das Gegenteil schreiben. Aber daran können wir doch festhalten, daß wir Sie sehen werden, daß Sie kommen werden. Und könnte das nicht am Morgen des 13ten sein, damit wir 13ten, 14ten zwei gemütliche Abende vor uns haben. Ich freue mich so auf wirkliches Sprechen, car j' ai trop conversé ces temps-ci.

Ihre Helene Nostitz

[Savoyhotel, Berlin, Friedrichstr. 103]   Sonnabend
[8. Dezember 1906]

Liebe gnädige Frau

ich war sehr traurig wie ich heute Ihren Brief bekam. Es scheint, es will nicht sein. Und ich hatte mich so gefreut! Und wie lange werd ich Sie jetzt nicht sehen, wer weiß wie lange?

Ich sage darum: es will nicht, weil nicht nur Sie Ihre kleine Reise nicht ändern können, sondern auch mir, der so gern alles ändern möchte, um diese schönen Tage nicht aufzugeben – etwas ganz unerwartetes zugestoßen ist. Ich bin gestern hier so heiser angekommen, so völlig stimmlos, daß ich noch jetzt nicht weiß ob es denkbar ist daß ich morgen abend den Vortrag halte, aber wenigstens hab ich die 48 Stunden bis dahin Hausarrest, kann niemand besuchen, niemand empfangen, mußte Harry ein so nettes Frühstück absagen das er mit der St Denis und der Eysoldt geben wollte, mußte Richard Strauss absagen, kurz sitze trübsinnig im Hotel und schreibe Absage-briefe – und jetzt Ihnen auch noch einen.

Ich bin so traurig. Aber daß ich – wenn ich morgen sprechen kann – dann nach 3 Tagen statt in 5 mit allen Berliner Dingen, die corvée für ein ganzes Jahr, fertig werde, das ist ganz undenkbar.

Und doch wünsche ich gar nicht, daß Ihre Reise sich verschöbe. Denn das wäre ein Zeichen, daß es Ihnen oder dem Baby weniger gut ginge – ich freue mich so sehr, daß Sie reisen können. –

Haben Sie das Buch bekommen?

Wie gern hätte ich Ihnen aus dem »Kleinen Welttheater« was vorgelesen.

Man soll sich wirklich nie lang vorher auf etwas Bestimmtes freuen.

Ihr Hofmannsthal

Wienerstraße 1, 10. Dec. 06

Lieber Herr von Hofmannsthal

Das ist aber sehr traurig und wie leid tun Sie mir in dem Hotel wo alles so grau und häßlich ist, allein und sich schlecht fühlend – Ich hatte schon fast gedacht, daß sich das Wunder eines Zusammenkommens unter fast denselben Verhältnissen nach kurzer Zeit vollziehen würde, etwas was ich noch nie erlebt habe, aber nein – Glauben Sie, daß Sie einmal von Wien aus einfach auf eine unbestimmte Zahl von Tagen herüberkommen könnten und bei uns wohnen? Das wäre sehr schön. – Mein Mann wünscht es auch so, Sie in Ruhe zu sprechen! –

Geben Sie mir bald Nachricht wie es Ihnen geht nicht wahr?

Ich danke Ihnen für das Buch –

Wie schön wäre es gewesen, wenn Sie mir daraus hätten lesen können und mir manches erklären, das mir noch verschlossen ist. – Am nächsten ist mir das Kleine Welttheater getreten, – Sollten Sie vielleicht einmal Zeit finden mir einen Commentar, wie Sie sagten, darüber zu schreiben? Das wäre schön. Die Dinge, die Sie schreiben, muß man in der Stille aufsteigen lassen wie Musik, der Verstand, der immer arbeiten kann, genügt da nicht. – Ich habe diese Zeit sehr unruhig gelebt. Viele Menschen sind vorübergezogen, darunter eine Madame de Broglie, die Sie aus Paris kennt. Eine unruhige, merkwürdige Frau. Sie deklamiert schön – und hat ein Buch »Ilse« geschrieben, eine kleine Skizze qui a du charme.

Das Baby ist Gott sei Dank wohler diese Tage. –

Was macht Kessler und wie geht es ihm?

Dunque a rivederci e presto spero.   Ihre Helene Nostitz

Mein Mann sagt Ihnen viel Herzliches

[Berlin, Savoyhotel, Friedrichstr. 103]

Mittwoch, [12. Dezember 1906]

Liebe gnädige Frau

ja, ich glaube, daß ich einmal vielleicht von Wien nach Dresden fahren werde nur um Sie und Herrn von Nostitz zu sehen und ein paar Tage bei Ihnen zu sein. Ich glaube es, weil ich es gerne tun würde – aber freilich ich weiß nicht ob es je sein wird. Denn es hängt so etwas, wozu man durch nichts Äußeres und nicht in einem bestimmten Augenblick getrieben wird, so sehr dann von inneren Chancen ab, die man nicht commandieren kann.

Ich danke Ihnen so sehr für Ihren guten Brief. (Und Herrn von Nostitz aufs Herzlichste für seine Grüße.) Ich bin schon wieder ganz wohl und sehe sehr viele Menschen in einer bunten Aufeinanderfolge die mich sehr unterhält, nur aber jeden einzeln, so daß nie die entsetzliche »Conversation« eintritt. Gestern spielte und sang mir Richard Strauss einige Teile aus der Elektra und mir machte das Gedichtete in dieser Form (obwohl er natürlich elend singt) eine große Freude, viel mehr als von Schauspielern gesprochen. Es ist ihm unglaublich gelungen (soweit ich das beurteilen kann) die Figuren der Elektra und ihrer sanfteren Schwester zu contrastieren. Ich denke, es wird sehr schön werden. In einer anderen Art von Zusammenarbeiten (für ein kleines Werk natürlich nur) bin ich mit einem ganz unwahrscheinlichen Collaborateur geraten, nämlich mit der Tänzerin St. Denis, die ich öfters besuche und sehe seit uns – wer? natürlich Harry – zu einem Frühstück zusammengebracht hat. Sie ist ein so kluges und nettes Wesen, als sie wundervoll tanzt und entzückt die Geschmack habenden Menschen sehr (die Masse läuft natürlich auch hin und weiß nicht warum.) Gestern war Harrach sehr entzückt von ihr. (Hans? Der Maler in Florenz.) Der besuchte mich gestern gerade in dem Augenblick, als Ihr Brief kam und ich definitiv ein bischen traurig war. Ein sympathischer Mensch, mit viel Kraft, die man spürt. (Harrach meine ich. Ich kannte ihn nicht früher.) Das ist ein merkwürdiges Wesen, mit so viel Kopf bei so viel Genialität des Körpers (jetzt meine ich die St Denis). Das finde ich eine merkwürdige Frau und Gladys Deacon finde ich eine merkwürdige Frau, und Sie finde ich eine merkwürdige Frau (verzeihen Sie die etwas bunte Gesellschaft, aber es handelt sich um etwas ganz ernstes: um eine Begriffsabgrenzung) und Harry Kessler finde ich merkwürdig und solche Leute, aber die Madeleine Deslandes finde ich g a r nicht merkwürdig. Ich wundere mich, wie die Madeleine Deslandes (oder wenn Sie wollen Madame de Broglie) nach Dresden und zu Ihnen kommt. Ich mag sie gar nicht.

Mit ihrer Stimme wie ein Pfau! Wie kann sie schön declamieren mit dieser Stimme? Dann spricht sie ein so abscheuliches Französisch. Madeleine Deslandes (de Broglie, wenn Sie wollen) ist eine bornierte, eitle, tourmentierte, detraquierte, arme, blasse, geschminkte, gefärbte, uninteressante Person – eine so ganz und gar überflüssige Person, keine Kraft, kein Geist, keine Schönheit, keine Anmut, nichts als prétension. Bitte sagen Sie nicht, daß solche Menschen merkwürdig sind. Das ist so ein Wort aus dem falschen Salon-jargon, das paßt gar nicht zu Ihnen. Alle Worte die Sie gebrauchen, müssen so reinlich und bestimmt Ihnen gehören, wie Ihre Handbewegungen oder Ihr Gehen.

Harry Kessler ist recht wohl (sein Knie noch nicht ganz gut). Ich freue mich unaufhörlich über ihn. Er ist innerlich ganz Herr über diese Weimarer Dinge geworden. Ich habe gar keine Angst mehr um ihn, wie ich damals in Dresden hatte.

Damals in Dresden! Die schönen Abende. Wie gern kam ich, wie gern ging ich fort, um wiederzukommen. Ich würde noch gern so weiterschreiben. Aber Sie müssen's alles lesen, das ist viel verlangt.

Durch eine Tür von mir getrennt, brüllt ein Page unaufhörlich ins Telephon: »Sprechen Sie noch? Sprechen Sie noch immer?« Ich beziehe es auf mich. Die Feder will auch nicht mehr.

Bitte schreiben Sie mir bald ein paar Zeilen nach Rodaun. Bitte lesen Sie meine Sachen nur wenn außer Ihrem Verstand noch etwas bei Ihnen ist. Das wird immer sein – außer wenn Sie aus Gesellschaft kommen.

Ihr Hofmannsthal

P. S. Ich wollte gern Ihre Frau Mutter besuchen. Man sagt mir, sie ist noch in Italien.

Lieber Herr von Hofmannsthal,

Das gefällt mir sehr, daß Sie einfach sagen, wenn Ihnen etwas nicht gefällt, darauf kann man eine wirkliche Freundschaft aufbauen und nicht nur lächelnd aneinander vorübergleiten – wie Schatten. Ich mache mir jedesmal Vorwürfe, wenn ich es unterlassen habe nahestehenden Menschen gegenüber, erst kürzlich wieder.

Wir hatten versuchen wollen, Sie noch einen Tag auf der Durchreise in Berlin zu sehn, aber es kam wieder etwas dazwischen. Dann kam hinzu, daß wir den Aufenthalt meiner Verwandten hätten verheimlichen müssen, sonst wäre der eine Tag zu zerrissen und unmöglich gewesen und wer weiß, ob wir hätten sprechen können, aber es drängte uns sehr dazu, deshalb das telegrafische, telephonische Anrufen und wiederum die Unmöglichkeit, Sie hier zu erwarten. Ah, la machinerie de la vie! sage ich immer wieder.–
Strauss sah ich neulich interessiert durch ein Lorgnon der Aufführung des Moloch von Schillings folgend. Das ist nicht ein Werk, welches entzückt sondern wo man sich von Zeit zu Zeit ermüdet sagt: Es ist manches Wertvolle wohl darin verborgen – aber, kurzum man raisoniert die ganze Zeit! –
Ich sitze wieder hier beim Baby, das ganz vergnügt seine Flasche trinkt. Ich schreibe gern meine Briefe hier – Es hat auch am meisten Ausblick dies Zimmer, wie Sie wissen. –
Ganz neu und frisch und weiß war der Schnee gefallen, als wir aufs Land kamen. Die Wälder waren wie in dem Märchen, wo es heißt: »Da kam sie von einem Wald und der war ganz aus Silber.« Ein wunderbares Gefühl von großer, reiner Stille umgab mich, als wir nach der Bahnfahrt im Schlitten durch den Abend fuhren. Ich sage Ihnen diese Eindrücke, die ein Nichts sind oder vielmehr erscheinen, weil Sie wissen, wie stark sie sein können. –
Könnten wir wohl den Berliner Vortrag bekommen oder wird er nicht gedruckt? Ich habe sehr viel Schönes darüber gehört von

Heller. Wo könnte ich wohl den Aufsatz bekommen? Oder sind das zu viel Ansprüche! –

Wir wünschen Ihnen allen recht ein glückliches Neues Jahr. Hoffentlich wird Ihr Besuch in der Wienerstraße darin enthalten sein.

Ihre Helene Nostitz

Mein Mann grüßt vielmals

Wienerstraße 1   27. Dec 06

Lieber Herr von Hofmannsthal,

Ich habe heute abend einen so intensiven Genuß beim Lesen vom »Tod des Tizian« empfunden, daß ich Ihnen das gleich sagen und Ihnen danken möchte, weil solch ein Augenblick vielleicht nie wieder kommt, wo einem die Schönheit von etwas s o entgegentritt, wo es auftaucht rein und neugeboren wie aus Meeresfluten.

Ihre Helene Nostitz

Rodaun, 2. April [1907]

Liebe gnädige Frau

nicht wahr, Sie verstehen es, bitte, wenn ich manchmal sehr lange nicht schreibe. So wie diesesmal. (Und Sie sind mir nicht böse, nicht wahr?) Es ist sonderbar daß ich endlich den Weg gefunden habe, diesen kleinen Satz hinzuschreiben. Ich glaube, es sind 6 Wochen her, oder 8 Wochen, oder 10 Wochen, daß ich ihn zum ersten Mal hinschreiben wollte, wenigstens diesen Satz, anstatt eines Briefes. Und unzähligemale habe ich ihn mir vorgesagt, es war schon eine Art obsession, und ihn doch niemals hingeschrieben.   Es ist mir sehr sonderbar, daß ich ihn jetzt plötzlich aufschreiben konnte, heute, am zweiten April, bei dieser stillen Lampe, ganz ohne äußeren Anlaß. Es ist aber noch sonderbarer eigentlich, daß ich Ihnen wirklich diese drei langen Monate nicht geschrieben habe, und habe doch in dieser Zeit gewiß zweihundert oder mehr Briefe geschrieben, an alle möglichen Menschen und Nicht-menschen – und habe doch vielleicht an niemanden (vielleicht Harry ausgenommen) so oft gedacht, mit niemanden so oft gesprochen, innerlich meine ich und über so vielerlei Dinge. Oder sind es vielleicht nicht vielerlei Dinge sondern Dinge von einerlei Art, über die ich – wenn ich allein bin – gerade mit Ihnen spreche? Nein, es sind doch vielerlei Dinge – Dinge die an andere Menschen anknüpfen, an Begegnungen, an Bücher, an Gedanken – aber alle nach einer Seite gesehen, alle nach einer Richtung gleichsam ihr Gesicht wendend, wie manchmal alle Blumen eines Beetes ihre Gesichter nach einer Seite kehren.

Das ist das Eigentliche an den menschlichen Beziehungen, glaube ich. Jede wirkliche Beziehung hat diese Kraft, gewisse Gruppen von Gedanken des Anderen so zu regieren – oder vielleicht existieren diese Gedanken nur durch diese Beziehung, jedenfalls ruft sie sie hervor, sie schafft das geistige Klima, in dem sie existieren können. So besitzt der Eine in dem Anderen Ländereien, Landschaften, Gärten, Abhänge, deren Leben nur die Strahlen dieses einzigen Sternes speisen und tränken, wie auch nur sie dieses Leben erweckt haben.

Dieses glaube ich ganz bestimmt; es gibt gar nicht viele Dinge, die ich so fest glaube und für wahr halte und weiß und erlebt habe und manchmal wieder erlebe. Doch glaube ich gar nicht, daß dies gegenseitig ist, es kann auch ganz einseitig sein, ja es ist von Natur einseitig und wenn man immer bei »Beziehung« an zwei Menschen denkt, so wirft man schon ziemlich roh durcheinander, denn eigentlich hat jeder seine gesonderte Beziehung zu dem Andern. – Harry war ein paar Tage in Wien und hier bei uns. Das Ende war plötzlich und traurig. Er hat in Weimar einen Hund, an dem er sehr hängt, viel mehr, als man denken sollte. Der Hund wurde plötzlich sehr krank und Harry reiste jäh ab, ohne uns Adieu zu sagen. Ich glaube, er war vor die Entscheidung gestellt, das arme Tier töten zu lassen oder leiden zu lassen, ich weiß seither nichts. Ich war sehr glücklich doch wieder einmal ein paar unserer schönen Gespräche führen zu können, die um 10 Uhr vormittags anfangen und um 11 Uhr nachts aufhören. Es freut mich so. Ich spreche hier doch eigentlich nur mit meiner Frau, und mit der doch in einer anderen Weise, natürlich. Ich glaube – erst jetzt habe ich es erkennen können – daß Harry in diesen Weimarer Vorgängen viel mehr und Härteres durchgemacht hat, als die Menschen ahnen, selbst die Menschen die ihm sonst befreundet sind.

Ich schreibe – und auf einmal fällt mir ein, daß ich gar nicht weiß, wo Sie sind. Vielleicht in Berlin. Vielleicht in Ardenza. Vielleicht in Meudon. Das macht mich so unsicher, daß ich nicht weiter-schreiben kann. Daß Sie mir in absehbarer Zeit antworten werden, kann ich nicht hoffen. Aber vielleicht tun Sie es doch – es wäre so gut von Ihnen.

Das Gespräch über den Tasso ist indessen nachgedruckt worden und ich schicke mit gleicher Post das Heft der Rheinlande worin es enthalten ist. Vielleicht macht es Ihnen Lust das schöne Stück selbst einmal wieder zu lesen – zu einer richtigen Stunde. (Es freute mich damals so sehr, das war Ihr letzter kleiner Brief, als Sie mir schrieben, Sie hätten eine von meinen Sachen zur rich-tigen Stunde in die Hände genommen und hätten Freude daran gehabt – die Freude, die ein Erlebnis sein muß und nicht la chose vile de tous les jours, de toutes les heures.)
Kennen Sie die Briefe der Julie de Lespinasse, die mir jetzt so viel Freude machen (die man aber nur versteht, wenn man vorher ihr Leben, von einem Marquis de Ségur ganz gut geschrieben, liest.)
Ohne Hoffnung auf Antwort (Lüge!)

Ihr Hofmannsthal

Lieber Herr von Hofmannsthal,

Hier sitze ich in einem Garten in Meudon – Große weiße Schwäne träumen unter Fliederbüschen. Wir wohnen in einem kleinen Haus von Rodin und haben den Plan verwirklicht, von dem ich Ihnen damals sprach: die Büste ! Ihren lieben Brief und das Tasso Gespräch habe ich aber noch in Dresden bekommen. Sie haben mir in dem Gedanken des Verhältnisses der Menschen zueinander etwas gegeben, das jetzt oft mit mir zieht und mir das Verständnis für viele Dinge erleichtert hat. –

Ich erlebe mit Rodin jetzt sehr schöne Stunden. Wir machen nicht eine Modell Sitzung daraus sondern ein Zusammenleben. Ich spiele dazwischen Beethoven oder lese etwas und so wächst das Werk von innen heraus. Wir bekümmern uns wenig um andere Menschen. Kessler haben wir einen Augenblick gesehen, dann reiste er fort und wollte wieder kommen. Wir haben etwas über die Weimarer Dinge gesprochen. Ich habe auch das Gefühl, daß er sehr darunter gelitten hat. Denn seine empfindliche Natur scheut innerlich den Kampf und führt ihn doch und wird ihn immer führen, um das Ziel zu erreichen.

Rodin hat übrigens eine schöne Büste von Madame de Noailles angefangen. Ich habe sie noch nicht getroffen. Ihre Verse scheinen ganz schön, wenn sie mich auch nicht ergreifen. Es scheinen mir mehr Worte, die über das Gefühl hinausgehn.

Sie haben mir eine große Freude mit dem Lauzun gemacht, den Sie mir damals aufschrieben. Wie lebendig das ist. Versailles ist mir diesmal viel belebter erschienen. Ich wollte früher, wie auch in Rom, nur meine eigene Stimmung hereintragen; aber es gibt Umgebungen, gerade wie Versailles, in denen wir nachempfinden müssen, um den Charme der Erscheinungen zu verstehen. Ich schreibe Ihnen so alles durcheinander – Wie gern würde ich wieder mit Ihnen sprechen, das ist besser. Wir sind den ganzen Juni in

Dresden, aber da werden Sie wohl kaum Zeit haben. – Wenn Sie können, so schreiben Sie vielleicht einige Worte hierher (bis Ende Mai sind wir hier) ob etwas besonders Schönes in der Umgegend Ihnen einfällt. Von St Denis war ich sehr enttäuscht. Jede Stille ist entschwunden. Ein lärmiger Führer schreit diese armen Könige aus. Wirklich, diese rohe Entweihung hat mir einen gradezu schmerzlichen Eindruck gemacht. So etwas müßte verboten werden.

Ein wundervolles Wiedersehen habe ich mit der »Victoire de Samotrace« gefeiert – und mit Notre Dame und St. Gervais und noch vielen anderen Dingen – wie einfach, an einem silbergrauen Tag an einem Quai der Seine in der Nähe der Ile St Louis zu sitzen.

Manchmal machen wir Fahrten mit Rodin. Als wir kamen, blühten alle Obstbäume und die Wiesen waren mit Veilchen bedeckt. Es war ein so plötzlicher Übergang, denn in Dresden hatten wir alles noch grau verlassen.

Oder sind Sie wie meine Mutter, die Naturbeschreibungen in Briefen langweilen? Aber sie gehören so zu unserem jetzigen Leben, daß ich sie unwillkürlich hinschreibe.

Mit vielen herzlichen Grüßen auch von meinem Mann

Ihre Helene Nostitz

Viele Grüße Ihrer Frau

Rodaun, 15. v. [1907]

Liebe gnädige Frau

wie sehr hat mich Ihr Brief gefreut, wie schön und gut von Ihnen daß Sie mir bald wieder geschrieben, aus einem blühenden Garten in einen blühenden, statt der Schwäne im Teich sind viele Schwalben in der blitzenden Luft und kleine Falken kreisen über dem Kirchturm und alles blüht zugleich, im Wald stehen noch die Veilchen und schon fallen die Kirschblüten ab, über Nacht sind die Apfelblüten aufgegangen und die Tulpen öffnen sich während man sie ansieht und sinken vor Sonne an den Boden.

Sie wissen nicht, Sie können nicht wissen, wie mich dieses Nicht-schreiben durch die trübe finstere Zeit, die vorher war, gequält hat, diese sinnlose Unfähigkeit, an Sie zu schreiben. Ce sont les silences et non pas les distances qui séparent sagt die Lespinasse (oder sagt es ihr Freund Guibert?) – aber hier war es umgekehrt, ich fühlte wie Sie durch dieses Schweigen entfremdet werden mußten und ich zugleich war nicht weiter von Ihnen weg, im Gegenteil, ich sprach oft und lebhaft mit Ihnen und jetzt wo ich Sie zum ersten Mal wieder antworten höre, kommt mir Ihr Ton wieder fremder vor, ich sehe Sie wie weiter weg, wie durch ein verkehrtes Opernglas.

Bitte nehmen Sie alle diese kleinen Subtilitäten nicht schwer, ich rede oder schreibe sie so gerade hin (wie Sie Ihre Naturschilde-rungen) – es liegt so gar nichts von dem drin, was man montiert sein für jemanden nennt, aber ich freue mich so sehr, daß Sie existieren, und in einem gewissen Sinn, den Sie niemals zu ergrün-den brauchen und der Sie niemals bekümmern kann, brauche ich Sie sehr notwendig für mein Leben, für das Leben meiner Phantasie oder meiner Gedanken, und dies Sie-brauchen ist der einzige Unterschied zwischen meinem Gefühl für Sie und der sehr lebhaften Sympathie, die ich für Ihren Mann empfinde, oder für Gerhard Mutius. Dies mysteriöse und manchmal sehr leiden-schaftliche Gefühl, sie zu brauchen habe ich für einige Menschen, für Harry, für Gladys Deacon, für O. D. – nicht für die Menschen deren Tod mich am furchtbarsten treffen würde, wie meinen Vater und meine Frau und meine Kinder – das ist wieder ganz etwas anderes – und Freundschaft und Sympathie ist auch etwas anderes.

Aber genug, oder viel zu viel von meinen Gefühlen! Verzeihen Sie.   Ich freue mich so sehr, daß die Büste gemacht wird. Das

Ganze freut mich mehr als ich sagen kann, daß Sie's ausführten, daß es dazu gekommen ist, daß Frühling ist dabei. Sie erwähnen aber das Baby gar nicht! Ist es in Meudon? Ich habe so oft an das Baby gedacht, oft sprechen wir darüber und Sie erwähnen es gar nicht. Und ich weiß noch immer nicht wie es heißt!

Pfingstmontag, den 20. Mai.

Inzwischen waren ein paar schlaflose Nächte, abscheuliche Zahnschmerzen und Neuralgien, ein Sturz des Wetters vom Strahlenden ins Finstere, jetzt schlägt der Regen an die Fenster, die Wipfel der Bäume biegen sich unter dem Sturm, aber ich bin wieder ganz fröhlich und kann weiterschreiben.

Ich finde, daß Sie ein bischen hart über die Verse der Frau von Noailles urteilen. Ich liebe sie mehr, und ich glaube, daß ich Recht habe darin. Ich nahm an dem Abend, wo Ihr Brief kam, den Band l'Ombre des Jours in die Hand. Ich finde in den schönsten dieser Gedichte – und man soll sich immer an die schönsten halten – kein Mißverhältnis zwischen den Worten und den Gefühlen. Ich finde etwas Schwebendes, Junges, Sinnlich-Seelenhaftes entzückend empfunden und entzückend ausgedrückt in Gedichten wie das Einleitungsgedicht »Jeunesse« oder in »Les plaisirs des jardins« oder im Chanson de Daphnis oder in dem bezaubernden Dialog L'étreinte. Ich kann mir nicht helfen, ich finde daß diese Dinge bezaubernden griechischen Sachen sehr nahe kommen. Und in allen diesen Gedichten, auch in den minder vollkommenen, finde ich die Geste schön, es ist die Geste einer jungen Frau, eines Wesens zwischen Mädchen und Frau, frei, natürlich, ohne Preciosität, weniger ein »Gemüt« als eine entzückende sinnliche Seele, auch darin sehr griechisch – Ihrem sehr deutschen Empfinden darum vielleicht fern – nein, wirklich, ich freue mich ihrer ganzen Erscheinung, es ist viel wirkliche Grazie darin – und

ich bin fast sicher daß Sie Ihnen gefallen wird – ich wünsche sehr
daß Sie sie träfen – bitte sagen Sie ihr, wenn sich die Gelegenheit
dazu findet, etwas sehr Freundliches von mir.

———

Sie können nicht wissen, wie sehr es mich freut, wenn Sie mir
sagen, daß Ihnen einer meiner Aufsätze wie der über Tasso, etwas
geben konnte. Ich hoffe aber, Sie werden dieses Wort nie miß-
brauchen und so etwas nie sagen, wenn es nicht der Fall war. Ich
wünsche mir da etwas ganz Bestimmtes – und ich glaube es wird
auch so kommen: daß Ihnen Gedankengänge dieser Art, Betrachtungen, Ansichten oder wie man es nennen soll, von mir, je besser
wir uns kennen, ganz durchsichtig werden, auch über den
Gegenstand hinaus, den sie zunächst behandeln; daß Ihnen immer
das Allgemeine, das hinter jedem Speciellen verborgen ist, offen
da liegt – so wie es etwa bei dem Tasso Feuilleton um die Möglichkeiten die im Verhältnis complicierter und höher organisierter
Menschen überhaupt liegen, geht, und nicht nur gerade um diese
4 Menschen.
Sie haben doch sicher, wie fast alle Menschen, die neu herausgegebenen Briefe der Julie de Lespinasse in diesem Winter gelesen?
Und dazu die Biographie der Lespinasse von M. de Ségur (1906)
ohne die die Briefe nicht recht übersichtlich sind.

Ich will hier nicht davon sprechen, erst, wenn ich weiß, daß Sie
sie kennen, dann werden wir öfter davon sprechen, denke ich.
Sie sind den Juni ruhig in Dresden. Ich gehe für den Juni nach
Italien (zunächst Umbrien später Venedig.) Dafür werde ich im
September oder October flüchtig über Dresden nach Berlin fahren
und dann werden Sie in Ardenza sein? Oder nicht?   Wo sind
Sie im August?
Ich sähe Sie gern einmal im Freien, in der Sonne! –
Ich bin Ihnen so dankbar, daß Sie bald wieder geschrieben haben.

Ein kleines Buch wird Sie in Dresden begrüßen. Briefe, die nach Rodaun gehen, erreichen mich immer mit Sicherheit.

Ihr Hofmannsthal

P. S. Eine Kinderei! Ich hätte so gern etwas von der Hand Rodins! Ein weggeworfenes Briefconcept oder etwas dergleichen findet er vielleicht für mich, wenn Sie's ihm sagen.

Rue de l'Université [Paris, Mai 1907]

Lieber Herr von Hofmannsthal,
Vielen Dank für Ihren lieben Brief. – Dies ist nicht die Antwort. Aber ich habe eben Rodin gebeten, dies zu schreiben und habe Angst es zu verlieren.
Ich will ihm etwas von Ihnen in der Übersetzung vorlesen.
Kessler sagte, es wäre ganz gut. Wir fahren jetzt in die Tourraine und Kessler trifft uns dort. Und dann neue Sitzungen mit frischen Kräften. Ich hatte einen schönen Eindruck bei Maillol.
In Eile   Ihre Helene Nostitz

Wienerstraße 1 [Juli 1907]
Lieber Herr von Hofmannsthal,
Es war ein schöner Gedanke von Ihnen uns dieses Buch als Willkommensgruß finden zu lassen – in dem Zimmer, wo alles nach langer Abwesenheit kalt und unpersönlich herumliegt. Eben habe ich eine Stunde reinen Genusses mit diesem Buch verbracht und der Bleistift ist mitgeflogen. Sie sprachen manchmal so sehr aus meiner Empfindung heraus. Ich werde mich wohl mit diesem Nachempfinden begnügen müssen. Wenn ich irgendwie versuche (was mir manchmal Bedürfnis ist) selber zu schreiben, so fühle ich nach ganz kurzer Zeit, wie ich den Lebenspunkt verlasse; und was ich dann erzwinge, ist ganz schlecht.

Aber ehe ich es wieder vergesse (ich habe laut lachen müssen) mein Baby heißt Olga, Olly wird sie genannt, obwohl ich sonst Abkürzungen nicht liebe. Ich hatte sie eigentlich Fiora oder Beata nennen wollen, weil sich für mich damit eine gewisse Florentiner Frühlingsstimmung verbindet, die die Grundempfindung jeder Frau sein müßte – aber vielleicht wäre es geziert gewesen. Nun, es kam so und da Sie fragen – Es geht so weit ganz gut weiter Gott sei Dank, aber sie entwickelt sich recht langsam und nimmt eigentlich noch garnicht Anteil am Leben. Der Doctor ist aber ganz zufrieden und meint, das würde alles werden – aber natürlich hat man Stunden der Sorge. Sie war nicht mit in Meudon, obwohl ich sie gern dort gehabt hätte zwischen den Schwänen, den Antiken und den Fliederbüschen.

Solche Schwäne im Garten sind etwas Wunderbares und ich suche immer, wie ich das hier möglich machen könnte, aber! – Es ist auch hübsch bei Rodin, wie das Volk hinter den Gittern des Gartens vorüberzieht und sich an dem allen freut, und jeder weiß einem den Weg nach der »Maison des cygnes« zu zeigen. Die Büste soll gut geworden sein – obwohl Rodin nicht zufrieden ist. Wir waren sehr viel mit Kessler zusammen, der uns mit vielen Menschen zusammenbrachte. Am meisten haben wir den Besuch bei Maillol in Marly genossen. Es ist dort eine so frische, einfache kräftige Harmonie und ich habe dort zum ersten Mal wirklich Freude an seinen Werken gehabt, die ich bis dahin nicht recht verstand.

Madame de Noailles habe ich nun doch nicht getroffen, will aber die Bücher lesen, von denen Sie sagen. Ich kenne nur »Eblouissements« – Ich lese jetzt manchmal im Leonardo da Vinci und etwas unordentlich umher. Will jetzt bald die Briefe von Mademoiselle de Lespinasse lesen. – Wir sind beide mit ihrem Leben von Ségur noch beschäftigt, mit dem man nicht recht weiter kommt und ich freue mich auf ihre lebendige Persönlichkeit.

Dresden ist jetzt in einem reizenden Augenblick. Obwohl ich

Menschen liebe, freue ich mich eigentlich, wenn die Häuser leer sind und niemand beleidigt in ihren Mauern sitzt (und darüber nachdenkt, ob man ihn besucht hat oder nicht). Überall blühen die Rosen und ich male viel draußen am Ufer des japanischen Palais, oder wir gehen abends in die Felder hinaus mit unserem kleinen Hund. Leider müssen wir nun bald in die Umgegend ziehen, da mein Vater die Sommermonate mit uns zusammen sein will. – Es ist auch für das Baby besser. Es wäre reizend, wenn Sie im October bei uns wohnen könnten. Ich denke mir sicher, daß wir dann wieder in der Wienerstraße sind. Ich freue mich sehr an diesem Briefverkehr mit Ihnen. Es ist auch wirklich gut für einen, solche Briefe zu schreiben. Ich will immer versuchen, klare und in Bezug auf mich wahre Worte zu sagen, die ich meine. Man merkt dann erst, wie viele angelernte kommen, wie uncultiviert, wie wenig durcharbeitet man ist, und das ist eben gut.

Wir würden Sie sehr gern einmal in Rodaun aufsuchen, aber ich fürchte, dies Jahr wird es kaum möglich sein. Ich glaube, Kessler plant ein Zusammenkommen in Weimar im Herbst.

Wir grüßen beide vielmals, auch Ihre Frau

Ihre Helene Nostitz

R., 15. x. 07

Liebe gnädige Frau

nun ist es bald ein Jahr, daß ich Sie gesehen habe. Ich hoffte so sehr, es würde nun wieder im October sein – aber es entstanden solche unerklärliche Stockungen in meiner Arbeit daß ich nun ihre Beendigung nicht vor dem November, kaum vor der Mitte November hoffen kann. Und wenn ich dann nach Berlin und Weimar ginge und auf dem Weg oder Rückweg in Dresden zu bleiben wünschte – darf ich dann hoffen, Sie zu finden?

Ich wünsche mir so herzlich, Sie wieder zu sehen, zu sprechen. Wir sind keine Menschen für Briefe, die ganze Zeit ist nicht danach. Nur, um sich nicht völlig zu verlieren, dafür sind Briefe, mehr sind sie nicht. Ich würde sehr gerne in der Wienerstraße wohnen, das ergibt manchmal so nette Momente des Zusammenseins, wie gerne wohne ich immer bei Harry in Weimar – aber wir wollen es ganz von dem Befinden und der Laune von Olly abhängig machen.

Ich freute mich sehr über diese Rede Ihres Mannes, damals im Juli. Natürlich fehlt mir jedes Verständnis für das politische Detail der Sache aber ich konnte sehr wohl fühlen daß es keine bloße Rede war sondern eine Handlung.
Ich hoffe sehr, daß Herr von Nostitz wenn ich also die Freude haben darf, wiederzukommen, dann nicht mit Königen reist. Und die Amtshauptmannschaft? – Wie freu ich mich auf Ihr Clavier, die Lampen, die Stille. Ob Sie nur dort sind? Auf einmal glaub ich nicht daran.

Ihr Hofmannsthal

Dresden – A Wienerstraße 1   19. Oct 1907

Lieber Herr von Hofmannsthal
Mitte November oder auch später würde uns sehr gut passen und wir freuen uns beide sehr darauf! Olly soll den ganzen Winter hier in der Nähe auf dem Lande bleiben, um sich zu stärken, so daß sie Ihre Pläne nicht zu stören braucht. Alfred ist dann sicher hier, – Er geht diesen Herbst glücklicherweise garnicht fort.
Es hat uns gefreut, was Sie über die Rede gesagt haben. Das ist ja auch für mich die Hauptsache – der lebendige Mut darin – Mit der Amtshauptmannschaft müssen wir noch länger warten. Es ist schade, immer dies Wartenmüssen. Gerade jetzt würden wir beide gern in eine tätige Einsamkeit uns zurückziehen. Ich empfinde jetzt viel mehr Begeisterung für den Gedanken als in vergangener Zeit, aber da muß man warten!

Grüßen Sie Ihre Frau vielmals von uns. Und eine Bitte: Hätten Sie Zeit, uns jetzt gleich einen Zettel mit guten Büchern zu schicken? Wir wären Ihnen sehr dankbar. Denn Sie haben uns oft an Schönes herangebracht.

Mit vielen Grüßen von uns beiden   Ihre Helene Nostitz

Rodaun, 22. x. [1907]

Liebe gnädige Frau

es ist ein bischen absurd daß es mir so schwer wird, diesen »Bücherzettel« zu schicken. Es liegt in meinem métier daß es mir leicht sein sollte. Vielleicht aber doch nicht. Ich empfinde es manchmal – gerade gegenüber nahestehenden Menschen – als etwas Sonderbares, fast Unmögliches, ihnen ein Buch zu octroiieren – es erscheint mir plötzlich als etwas sehr Intimes, als eine Anmaßung, sich zum Supplement des Anderen zu machen. Und plötzlich erschreckt mich in solchen Momenten der unheimliche, kaum faßbare Zustand der geistigen Welt in der wir leben. Die Bücher sind im Grunde solche einsame unnahbare Welten für sich – Aber sie wollen ja doch gelesen werden – also verzeihen Sie die Einleitung, sie ist wohl nur entstanden erstens weil ich etwas überarbeitet und allem Fremden entfremdet bin und dann weil ich Sie schon so lange nicht gesehen und Ihre Stimme nicht gehört habe. Ich kann mich in diesem Augenblick so gar nicht erinnern wie Sie sprechen!

Da ist ein Buch – es ist sehr »schlecht geschrieben« aber ich habe es zweimal mit so tiefem Eindruck gelesen – um des Lebens willen – ich möchte daß Sie beide es lesen: es heißt »Aus dem Zuchthaus« von Hans Leuss.

Dann gehen mir folgende Bücher durch den Kopf. Die Brüder Karamasow und der Idiot von Dostojewski. Es ist aber kaum möglich daß Sie diese nicht kennen. Eigentlich sind es Dinge wie Shakespeare. Auch die »Dämonen«. –

Dann natürlich aber kennen Sie ja die auch – meine beiden Lieblingsbücher von Keller: Sinngedicht und die Züricher Novellen (um einiger, nicht aller willen) – aber Sie ärgern sich ja schon beide, Sie wollten nicht, natürlich nicht, daß ich »solche« Bücher aufschreibe, die Sie kennen – sondern ganz andere. Aber was für welche? Ich zerbreche mir meinen schlechten Kopf! Das schöne Buch von dem alten Dilthey »Erlebnis und Dichtung« habe ich Ihnen wahrscheinlich schon 10 mal empfohlen. Oder niemals? Meyer-Gräfe hab ich immer sehr gern. Er weiß wo die Kunst und das Gefühl für Kunst hingehört im Leben, sehr gern hab ich ihn. Sein neues Buch: Die Impressionisten hab ich am Lido gelesen, mit viel Freude.

Die Briefe von Van Gogh. (Verlag Cassirer)

A modern symposion by Lowes Dickinson, kluge anregende politische Philosophie. Von demselben: »Letters from John Chinaman«. Sollte in der Amtshauptmannsbibliothek nicht fehlen.

Jetzt fällt mir nichts mehr ein und ich habe das Gefühl Sie elend bedient zu haben. Seien Sie dafür nicht böse.

Ihr Hofmannsthal.

Donnerstag [21. November 1907]

Liebe gnädige Frau

ich mußte diese Arbeit weglegen – für wie lange weiß ich nicht – und möchte zu Ihnen kommen (und später nach Weimar) so wie man in anderen Jahreszeiten zu Landschaften seine Zuflucht nimmt, um einen nicht guten Moment zu überwinden. Dürfte ich Mittwoch früh ankommen? Sie überlegen, bitte, mit Herrn von Nostitz nochmals ob es Sie wirklich nicht belästigt, mich für ein paar Tage ganz in Ihrem Haus zu haben. Anderenfalls würde ich in eine Pension gehen, Sidonienstraße, wo ohnedies eine Bekannte wohnt der ich einen gewissen Teil meiner Zeit (einer künstlerischen Angelegenheit wegen) schuldig bin.   Darf ich so unbescheiden sein zu bitten daß Sie mir nach Empfang dieser Zeilen die nötigen paar Worte telegrafieren (und dann noch: daß Sie und Herr von Nostitz von meiner bevorstehenden Ankunft gegen niemand Erwähnung tun, z. B. nicht gegen Madame Deslandes. Dies werde ich dann gleich aufklären.) Ich warte mit Sehnsucht auf diese Depesche. Ich freue mich sehr.

Ihr Hofmannsthal.

[Dresden, Anfang Dezember 1907]

Liebe gnädige Frau
ich bin sehr froh daß Sie es so machen – Hoffentlich schwindet dann die Überanstrengung[,] ich fühlte die ganze Zeit so sehr, daß es zu viel sein mußte. Für mich war der Abend sehr merkwürdig – merkwürdig der Eindruck daß die Deslandes mir eigentlich plötzlich lieber war als diese ganzen steifen quelquonquen Frauen, merkwürdig der Schlußmoment mit dem Inder – am stärksten freilich für mich war der traurige Eindruck – der arme junge kindliche Mensch! Ich weiß daß ich diese Conversation mit ihm und das allmähliche Verstehen seines Schicksals nie vergessen werde.

––––––

Ruth und Hans waren sehr entzückt von Ihrer Güte und sagten sehr vieles Nette über Sie – doch darf man ja nie wiederholen. –
Ich bin sehr glücklich daß dieser Abend an dem ich Sie nicht sehe – nicht der letzte ist – ich denke wir bringen vielleicht Ruth morgen um 11 Uhr an die Bahn –?

Wie gerne schriebe ich noch vieles, da ich nicht mit Ihnen sprechen kann – aber der Gedanke daß Sie es auch lesen müßten –!
Ich habe die Visitkarte von Hans in dem kleinen Täschchen zu übergeben und die Photo für [unleserliches Wort].

Ihr H.

Liebe gnädige Frau

Die Lektüre von Crinett reichte genau für die Strecke Dresden-Weimar und diese kleine »Aufgabe« ergab auch innerlich ein sehr präcises Wegfahren in ganz gerader Linie, »ohne alle Curven«.

Das Buch hat mir sehr gut gefallen und das freute mich, denn ich hatte gefürchtet, es würde mir nicht gefallen. Man spürt hinter dem Buch einen Menschen, einen Menschen mit sehr viel Klugheit, innerer Freiheit, viel Blick für das Leben und die Nuancen des Lebens, auch viel Gefühl (nicht Sentimentalität, sondern discretem Gefühl für das was das Leben lebenswert macht); man wünscht sich mit ihm zu sprechen – und man meint schon mit ihm zu sprechen, während man ihn liest.

Hier möchte ich aufhören, aber Sie wünschten ein »Urteil«; – nur, falls Sie diesen Brief weitergeben, möchte ich den zweiten Empfänger bitten, sich zu erinnern, daß dieser Brief an Sie nur auf Ihren Wunsch geschrieben wurde und daß hier nicht die unleidliche Prätention vorliegt, jemanden, der nicht gefragt hat, ein ästhetisches Urteil zu octroiieren.

Ich weiß nach 50 Seiten, daß der Verfasser von »Crinett« ein ungewöhnlicher Kopf ist. Mit viel geringerer Sicherheit weiß ich, ob hier die Möglichkeit vorliegt, ein bedeutender Schriftsteller zu werden. Und ich halte ihn für unfähig, die Rolle eines mittelmäßigen dauernd spielen zu wollen. Ich bin nicht sicher, ob er nur zu wenig métier hat, oder nicht auch zu wenig von dem Anderen, unerlernbaren. Ich sehe die Figuren nicht. Ich sehe keinen Moment der Handlung sehr stark. Alles was geschieht, kann ich acceptieren, aber nichts zwingt mich. Ich sehe sehr geschickt definierte sociale Möglichkeiten und höre bei dieser Gelegenheit die aperçus des Verfassers (die mir sehr viel Vergnügen machen.) Aber ich befinde mich keinen Augenblick lang dort – wo ich mich in der schlechtesten Novelle von Balzac doch nach 10 Seiten befinde:

in einer Atmosphäre, einer »Welt«. Ein Roman, eine Novelle ohne diese Qualität hat aber keine Existenzmöglichkeit.

Aber ich kann es sehr gut verstehen, daß ein Mann von so viel Geist und so viel Imagination (wenn auch vielleicht nicht schöpferischer Imagination) in Augenblicken wo das Leben nicht alle seine Kräfte bindet, nach einer solchen Form sucht, um sich zu betätigen. Vielleicht gibt es Formen, welche vollständig auszufüllen gerade nur solchen Menschen gegeben ist. Es war schließlich weder in der Linie St. Simons, noch La Rochefoucaulds, ein gutes Drama oder auch nur einen erträglichen Roman hervorzubringen, und sie haben Formen gefunden, alles zu geben, was sie zu geben hatten. –
Ich war sehr glücklich zu fühlen, daß ich H. K. durch meine Anwesenheit in dem Ort mit dem ihn so böse Erinnerungen verknüpfen einige Freude machen konnte.

Der Dresdner Tage erinnere ich mich eigentlich nicht, sondern sie sind unter den jetzigen Tagen wie unter einem Gaze-schleier einfach da und rollen sich mit dem Gang der Uhr aufs neue ab.
Ich sage mir, daß wir die Entscheidung über schwebende Dinge innerhalb dieser nächsten Tage erfahren müssen – aber von hier aus erfahren wir sie nicht.
Das ganze Weimar war mir wieder sehr erfreulich, auch die Frauen – was ich für die Existenz einen großen Punkt finde.

Ihr Hofmannsthal

Ich bin hier bis Montag, dann in Berlin, Savoy.

Wienerstraße 1 5. Dec. 07

Lieber Herr von Hofmannsthal
Also: »Junge Gänschen sehen so altklug aus, besonders um die Augen, so vielgelebt und werden doch mit jedem Tag wie größer,

so dümmer (auf einem Spaziergang gemeinschaftlich bemerkt).« Es ist mir ein wahrer Genuß dies abzuschreiben und es versetzt mich in ein Gefühl außerordentlichen Vergnügens. Ich schreibe liegend, also ganz Wienerstraße Stimmung. Es fehlt nur, daß Sie und Alfred wie in einer Rennbahn auf und ab laufen, während ich manchmal ausrufe »Ach wäre doch nur mein Gehirn mehr entwickelt!«, und dann wird weiter gesucht. Heute abend steht mir nur der Narziss mit erhobenem Finger gegenüber, denn Alfred ist ausgegangen, und so, während sich Ströme von Tinte über meine Finger ergießen, schreibe ich weiter.

Heute Nachmittag war ein Tee bei Hardenberg mit der Deslandes. Wir unterhielten uns ganz gut, aber Incense und Zigarettenrauch trieben Wizzy und mich in die kalte Nacht zu Fuß hinaus, was »avec des petits cris« begrüßt wurde. Nun aber die Hauptsache – ich bin nämlich etwas müde und schreibe, glaube ich, lauter kleinen Unsinn.

Der Brief von Fritsch ist gekommen. Dies Folgende alles unter dem Siegel der Verschwiegenheit (außer für Kessler). Es scheint, daß der Minister auch unser Kommen wünscht und zwar erst für später – April oder so, was viel besser passen würde! Alles wird sich aber fest erst im Januar entscheiden, wenn Alfred hingefahren ist. Was sagt Kessler dazu? Es scheint also, daß wir mit aller Macht, immer mehr, dorthin geführt werden. Im Dunkel tastend, aber doch sicher den nötigen Weg gehend, erfüllen wir unser Geschick, wenn wir lebendige Menschen sind. Und dieser große Rhythmus, der auch hier die Dinge bewegt, gibt mir bei allen wiederum schmerzlichen Abschnitten die Ruhe. –

Fragen Sie doch Kessler, ob er meinen Brief bekommen hat und grüßen Sie ihn vielmals von uns beiden.

Wir waren diese beiden Morgen im Landtag. Ich gehe gern in öffentliche Versammlungen, denn man sieht dort die Menschen in einer einigermaßen natürlichen, wenn auch nicht der edelsten Verfassung. Sie ärgern sich, sie sagen sich Grobheiten. Ich ging nachher an der Frauenkirchen Ecke vorüber, die viel lebendiger durch all unsere hübschen Zusammenkünfte geworden ist, z. B. wie die St. Denis an dem so schönen sonnigen Morgen so freudig die Treppe uns entgegensprang.

Heute sah ich den kleinen Henckel, der sich freute, mit Ihnen gesprochen zu haben.

Mit vielen herzlichen Grüßen   Ihre Helene Nostitz

P. S.

Ihre und Kesslers Briefe kamen gerade als ich diesen fertig geschrieben hatte. Ich will ihn nun so fortschicken. Sie müssen doch auch recht schnell das reizende »Gänsezitat« bekommen!

Danken Sie bitte Kessler von uns für seine lieben Briefe. Wie gesagt, es schwebt alles noch sehr hin und her und wir sind noch weit vom Entschluß über Weimar

Ihre HN.

[Berlin, Dezember 1907]

Montag, an Gustav Richters Schreibtisch in einer sehr netten Dachkammer.

Liebe gnädige Frau, gestern war ein sehr netter Tag mit fast zu vielen lebhaften Eindrücken – aber durch alle schimmerten die Dresdner Tage leise durch. Die Matinée war ein großer Erfolg für Fortuny, fast noch mehr für die St. Denis – sie war wundervoll – sie improvisierte kleine Tänze deren Zauber ich (hoffe ich) nie vergessen werde, es war ein so bizarrer und zu Herzen gehender Contrast zwischen dem alltäglichen Besuchskleid das sie trug und diesen kleinen und dabei so unendlich intensiven Gebärden in denen sie manchmal ihre ganze Seele nach oben warf, ihren charme und ihre Güte so ohne alles »Getue« ohne allen Pomp verschwendete.

Abends sah ich eine ganz erstaunliche kleine Schauspielerin bei Reinhardt die Julie spielen, ein kaum zwanzigjähriges Wesen, von einer kindhaften Wildheit, einer Hingabe, einer Kühnheit, – ich hatte das Eigentliche dieses Stückes nie so gespürt, ich war wirklich wie in einer anderen Welt und Fortuny neben mir ganz ebenso – obwohl er die Sprache nicht versteht – ich hatte ihr sagen lassen wie schön ich ihr Spiel fände, sie spielte dadurch die letzten Scenen mit einem Mut einer Trunkenheit ohne gleichen (Schauspieler werden immer innerlich encouragiert durch einen Menschen im ganzen Haus von dem sie fühlen, daß er mit ihnen vibriert) – nachher ging ich in ihre Garderobe ihr etwas zu sagen, sie war noch nicht da, dann kam sie von den Toten aus dem Gewölbe, ganz blaß, ich wollte etwas sagen, brachte aber absolut nichts heraus, sie fiel mir in die Arme (au pied de la lettre, ich glaube aber daß es keine gräßliche Schauspielerallure war sondern ein sonderbarer Halbtraumzustand et puis elle était dans le courant de l'étreinte ich habe nie jemanden so verzweifelnd umschlingen sehen wie sie ihren schlechten Romeo), ich wußte nun natürlich gar nicht was ich sagen sollte, in diesem Augenblick kommt die Mutter herein, sieht gar nicht das Komische der Situation sondern nur daß hier ein Dichter ist, von dem man eine große Rolle bekommen kann, und sagt würdevoll und ergriffen: Nun Kindchen, das ist doch ein schöner, schöner Abend – das war dann freilich so überwältigend komisch, daß alles in einem Augenblick aufgelöst war in Lachen und Wirklichkeit – aber ich glaube sie hat ihre Rolle und ich habe meine Silvia.

Inzwischen hatte ich eine Stunde der nettesten Conversation mit Frau Richter; was für eine gütige kluge liebe Frau. Das war gestern, heute beim Frühstück war ich wieder hier, auch Gustav freut mich so.
Liebe gnädige Frau, Sie können nicht wissen, wie ich es Ihnen danke, daß ich mich wieder freuen kann, Menschen und Dinge

wieder so lebhaft, mit Freude fühle – doch ist das ja für Sie ein détail.

Ich bin wieder unsicher geworden oder es ist wieder unsicher geworden ob ich nochmals nach Dresden gehe. Ich habe mich mit der St. Denis einmal (und ein für allemal) stillschweigend darüber verständigt, daß wir nie Dinge forcieren wollen, nie übermäßig gegen Menschen und Umstände combinieren – und ich würde jetzt nur hingehen wenn ich wüßte daß ich sie allein finde. Ich vermute, daß sie mir darüber Mittwoch eine Depesche schicken wird, ich weiß es nicht da wir nicht darüber gesprochen haben.

Ich habe nachgedacht, ob ich, abgesehen davon, für 2 Tage etwa in Ihr Haus zurückkommen dürfte – ob es möglich und erlaubt wäre zu versuchen, die Gespräche die so ganz fragmentarisch geblieben sind, ein Stückchen weiter zu führen, ob ich deswegen kommen dürfte: ich weiß es noch nicht, ich kann es nur in mir selbst finden in einer Stunde die plötzlich kommen wird: alle diese Dinge tragen ihre Gesetze, ihre Grenzen in sich. Wie gerne ich käme, brauche ich nicht zu sagen.
Im Grunde hoffe ich – aber ich weiß nicht, was wird.
Was für ein unmöglich langer Brief! Nichtwahr Sie lassen nie jemanden einen Brief von mir lesen – das ist etwas das ich so fürchterlich finde. Ich lese nie einen Brief den meine Frau mir zum Lesen geben will.
Ich grüße Herrn von Nostitz sehr herzlich.   Ihr H.

[Berlin, Savoy-Hotel]
Donnerstag [Dezember 1907]

Liebe gnädige Frau
ist es wirklich denkbar daß ich noch einmal mit Ihnen spazierengehe – mit Ihnen beiden frühstücke und alle diese netten Dinge für einen Tag nochmals wiederkommen?

Ich wollte Sonntags nachts nach Hause fahren nun schreibt mir meine Frau daß sie Montag wegen Kleidern nach Wien muß und ich lieber erst Dienstag kommen soll. Wenn es nun wirklich möglich wäre (ich glaube vielmehr Sie haben 10 Verabredungen schon für Montag) so käme ich Sonntag abends an (würde europäischer Hof wohnen) käme Montag ½11 Sie zum spazierengehen abholen und bliebe bis Montag abends.   Ich bitte nur eine Depesche, ob oder nicht. Viele Grüße Ihnen beiden von

Ihrem Hofmannsthal

Wienerstraße 1 14. Jan 08

Lieber Herr von Hofmannsthal,

Endlich danke ich Ihnen für Ihr schönes Weihnachtsgeschenk, das mir s o viel Freude gemacht hat, mit den Worten, die nun immer an diese Decembertage erinnern werden, die Alfred und mir eine so liebe und lebendige Erinnerung sind. Seitdem ist diese ganze Ecke an der Frauenkirche viel belebter geworden und ich gehe oft rückwärts blickend daran vorüber oder freue mich einen Augenblick, wenn sie wie neulich mit zartem Schnee bedeckt gegen den rötlich blauen Nebel steht. Ich habe Alfred auch noch die chinesischen Vasen gezeigt. Er hatte die ganz schönen noch nie gesehen und war auch ganz wie berauscht. Es ist mir mit solchen Porzellandingen noch nie so gegangen, daß ich mich sehnte, sie wieder zu sehen – wie man eine Symphonie wieder zu hören wünscht. Außer einigen ganz friedlichen Stunden des Zusammenlesens, oder -sprechens, oder Gehens im Großen Garten habe ich eigentlich ziemlich in Hetze gelebt über und seit Weihnachten. Unzählige Menschen und kleine Briefe. Die Broglie Deslandes ist erst seit wenigen Tagen fort. Wirr und traurig und nicht sehr wohl reiste sie ab, die arme Frau. Ich höre, die St. Denis ist in Wien. Sehen Sie sie manchmal? Dann noch ein Nebentypus aus der Zeit, – der Inder hat mich so lange gequält, bis ich mich habe von ihm schlecht zeichnen lassen – Sie hatten ganz recht.

Eigentlich hatte ich diesen Brief immer verschoben, weil ich Ihnen etwas Bestimmtes über Weimar sagen wollte. Alfred war neulich einen Tag da – Aber es ist noch immer alles in der Schwebe und wir werden uns wohl erst in einigen Monaten endgültig entschließen. Er brachte einen sehr angenehmen Eindruck von dort mit, und verlebte einen Abend bei den van de Veldes. Ich denke mir, man muß dort 14 Tage ab und zu des großen Friedens verleben können, in dem allein diese Bildung, dieses tiefe Aufblühen geschehen kann, von dem wir sprachen, besonders wenn einige Leute um einen wohnen, die viel weiter sind als man selber. Wir besprachen das ja öfters, aber es tut wohl, so etwas vor einem vollen Verständnis, wie Sie es haben, zu wiederholen. In den bewußten Goethegesprächen fand ich übrigens neulich einige reizende Dinge über seinen Besuch bei Kügelgen in Dresden, wenn es Ihnen in die Hand kommen sollte.

Dann etwas anderes: die Briefe von Michel Angelo, darunter einer über den Tod seines Dieners, der ganz entzückend ist. –

Der arme kleine Henckel ist fort, der Sie damals so ergriff in seinem Schicksal. Sehr traurig ist nun auch das Geschick von »Bocqué«, der damals die Indische Musik spielte. Wissen Sie: für den es nur Rodin und Sie in unserer Zeit gab, und mit dem Sie dann bei Schlippenbach sprachen. Er ist gestürzt und hat sich die Hand so verletzt, daß er nie wird wieder spielen können. Und da er ganz arm ist und dies seine einzige Erwerbsmöglichkeit war, so ist es wirklich sehr hart und schrecklich. Wir machen jetzt eine Kollekte für ihn, um ihm wenigstens über die erste Zeit hinwegzuhelfen!

Vielen Dank noch für die Kritik über Crinett. Ich werde sie erst später meinem Bruder geben, denn er hat jetzt zu Trauriges erlebt mit dem Baby, um über tiefere Dinge mit ihm sprechen zu können! –

Mir geht es Gott sei Dank weiter gut, und ich versuche mit innerlichem Mut dem großen Augenblick entgegenzugehn, in dem alle Krücken des Lebens schwinden und man ganz allein wie vor einer geheimnisvollen Pforte steht.

In treuer Freundschaft   Ihre Helene Nostitz.

Wir waren sehr enttäuscht, wie Sie damals nicht kamen, den einen Tag. Ich finde dieser Brief ist wirklich garnicht schön!! So viel korrigiert.

Berlin Schadowstraße 4   24. III. [1908]

liebe gnädige Frau

ich danke Ihnen von Herzen dafür daß Sie so gut waren, es mir selbst zu schreiben. Sie sind so gut und freundlich und mißverstehen es nicht, wenn man manchmal keine Briefe schreibt. Ich kann es mir selber nicht erklären warum ich diese Monate nicht schreiben konnte. Vielleicht gerade darum weil es, im December zu sprechen so besonders nett gewesen war.

Hier denke ich nicht einmal, sondern zwanzigmal im Tag an Sie. Alles führt auf Sie zurück. Es ist als blätterte ich immerfort in Ihrem Bilderbuch. Die gute Frau Richter, der amüsante Gustav, die Gräfin Harrach, so vornehm und sympathisch, die netten Töchter (Renata mag sehr gewinnen wenn man sie näher kennt, zuerst (und ich halte noch beim zuerst) gefällt mir Lori Hochberg viel mehr) und noch viele andere Gesichter: die Gräfin Wolkenstein, die mich nicht ausstehen kann und es so gar nicht cachiert (was ich eher amüsant finde), Winterfeld, Frau von Wangenheim, die ich sehr hübsch finde etc. etc.

Wie nett wäre es, wenn Sie da wären, man wäre so nett à trois oder à quatre, auch à cinq mit Harry und Gustav R.

Es machte mich gestern ganz ernst als mir Harry mitten in dem Galatheater erzählte daß es mit ihnen beiden und Weimar entschieden ist und zum »ja«.

Ich freue mich. Ich glaube es wird gut sein, in manchem, vielem Sinn. Ich persönlich war einen Augenblick ein bischen traurig: es war so schön, Sie auf der Strecke zu wissen, wo man immer vorbeifuhr, Sie ganz nahe an der Grenze zu denken. –

Wir sind nun schon viel länger hier als wir dachten. Montag wird im Kammerspielhaus »Der Tor und Tod« gespielt, dann fahren wir gleich nachhaus und Mitte April soll ich mit Harry und Maillol nach Griechenland.

Alles Gute Herzliche Ihrem Mann.   Ihr H.

Wienerstraße 1   26 März 08

Lieber Herr von Hofmannsthal

Eben habe ich den Balzac aus der Hand gelegt, dies kleine heitere Drama »La vieille fille«, das einen trotz aller Tragik so wie eine holländische Landschaft anmutet, in der ein Monsieur de Valois artig einhergeht mit Stil und Rhythmus und – aber Sie empfinden ja all diese Dinge viel schärfer, viel intensiver, viel präciser wie ich. Wir haben mit großem Genuß Ihren Artikel über Balzac gelesen, und er wird einen Platz in meiner alten Edition finden.

Es interessiert mich, daß Sie gleich Renata und Lori Harrach so gesehn haben wie ich, denn es verbindet sich mit der Art, gewisse Menschen zu sehn eine ganz bestimmte Auffassung der Dinge überhaupt.

Ich kann jetzt aufrichtig sagen, daß ich wirklich anfange, mich innerlich auf Weimar zu freuen. Wir denken daran, in die Tiefurter Allee zu ziehen, wo Goethe die Worte über »dieselbige Sonne« gesagt hat, und wo der Blick aus den Fenstern über weite Felder geht. Das habe ich mir schon immer gewünscht und diese direkte Umgebung der Natur ohne Einsamkeit gibt mir als Ausblick so ein inneres Gefühl von Freiheit.

Auch mein Mann fühlt sich so leicht und zufrieden.

Wenn Kessler nicht ganz den versprochenen Tag einhält, können

Sie vielleicht dann doch erst einige Tage bei uns wohnen, oder im Sommer. Wir würden beide ganz traurig sein, wenn das aufhören sollte – denn die unterbrochenen Gespräche sind doch nicht dieselben.

Wie gern wären wir zu »Tor und Tod« gekommen!, aber ich erwarte jetzt täglich mit Gottes Hilfe mein Baby. Wenn Sie sich in Griechenland so aufgelegt fühlen, würde ich mich sehr über Nachrichten von dort freuen, da ich dann viel im Zimmer sein werde. Maillol ist mir sehr sympathisch, so klar und einfach. Grüßen Sie ihn von mir.

Mit den herzlichsten Grüßen   Ihre Helene Nostitz

Rodaun, 25. IV. [1908]

Liebe gnädige Frau

Sie werden über diesen Brief lachen, d. h. wenn Sie, wie ich hoffe, schon so wohl sind, ihn lesen zu dürfen – denn er beschäftigt sich ausschließlich mit Heiratsvermittlung. Ich habe die fixe Idee (er hat sie leider viel weniger) meinen Freund Georg Franckenstein zu verheiraten und zwar a) überhaupt b) vielleicht mit dieser kleinen S. Er ist nicht vielleicht ein oberflächlicher Bekannter von mir, sondern einer meiner allernächsten Freunde. Seit er fünfzehn Jahre alt war, kenne ich ihn, er war schon damals mutterlos, bald ist auch sein Vater gestorben und mein Verhältnis zu ihm war von Anfang an das eines älteren Bruders. Ich kenne sein ganzes Leben, jede Freude, jede Enttäuschung, jeden Flirt, seine Weltanschauung – wie gewöhnlich nicht einmal ein Bruder seinen Bruder kennt. Er ist ein Mensch von seltener Reinheit und Vornehmheit, und obwohl er recht klug ist und manches erlebt hat, tritt alles Verstandesmäßige gegen das starke Gepräge zurück, das sein Charakter ihm gibt. Bis gegen 20 war er wie ein Kind, dann reiste er viel, sah viel Menschen, verliebte sich in Washington in ein paar Mädeln, machte viel Sport und blieb jahrelang der nette junge

Herr, mit dem Ton auf »junge«. Jetzt ist er 29 oder 30. In den letzten Jahren freut mich sein W e s e n zwar ungetrübt so wie immer, aber die Allüre die sein Leben angenommen hat, freut mich nicht mehr so sehr. Rom und jetzt Wien sind 2 etwas zu weiche milieus und er hat mir ein bischen zu viel flirts mit eleganten aber nicht sehr netten Damen. Er ist in diesen Situationen sicherlich viel netter und vornehmer als die meisten anderen Herren, gibt auch mehr Gefühl und Phantasie daran hin als die andern – und darum hängen sich die gewissen Damen an ihn, aber ich möchte, daß es schon einmal ein Ende hätte. Auch paßt er so ausgezeichnet dazu, der nette Mann einer netten Frau und der Vater von Kindern zu sein, denn er ist eigentlich seiner Natur nach, im Denken, Fühlen, selbst im Sport-machen, eher der ernste Mensch als der homme à femmes und in dieser letzten Phase mit L. C., N. N. und H. V. kommt er mir vor wie Don Juan wider Willen.

Nun fragen Sie, warum er kein österreichisches Mädel heiratet. Aber teils sind sie gar solche Gänse, teils haben sie sehr große Namen und bekommen fast gar nichts mit, so daß es eben unmöglich ist, teils ist es eben ein Zufall.

Nun ist es fast providentiell, daß abermals wieder eine W., gemeinsame Freundin des Baron S. und der verstorbenen Mutter F. an die Schwester F. geschrieben hat – es gäb niemanden auf der Welt der für die M. S. passen würde als dieser. Social ist ja sie die schlechte Partie für ihn, auch den Alliancen nach (seine Mutter ist eine Schoenborn, seine Großmutter eine Oettingen) aber das ist ihm alles eines, er würde auch eine Amerikanerin oder wen immer geheiratet haben.

Persönlich sieht er ausgezeichnet aus, gehört zu den bestaussehenden jungen Herren, die ich überhaupt in Europa kenne, und in der Carrière ist er sehr gut, ist ein großer Liebling von Aehrenthal und würde sicher sehr jung Gesandter und Botschafter werden wenn er eine richtige Frau hat.

Für ihn ist, das weiß ich aus mehr als einem sehr ernsthaften auf-
richtigen Gespräch, der Gedanke einer Geldheirat etwas ausgesprochen Unsympathisches.

Er ist gar nicht reich, nichts weniger als reich, aber das was er hat
macht ihn ganz unabhängig, in Bezug auf Reisen, Sport, und alles
was ein phantasievoller aber nicht phantastischer Mensch sonst
braucht. Aber so fürchterlich reich wird ja diese S., wie ich höre,
gar nicht, denn etwa 150 000 Mark revenue sind ja im heutigen
cosmopolitischen Sinn aisance, aber keineswegs Reichtum. –

Nun fährt er im Mai um verschiedene Freunde aus seiner römischen Zeit wiederzusehen über Florenz nach Rom, und ich hab
ihn dazu gebracht, daß er (mit einer Einführung von dieser W.)
die S.s besuchen wird. Ich frage mich jetzt und ich frage Sie ob
es praktisch oder unpraktisch wäre (nur dem Mädchen selbst
gegenüber) wenn Sie etwas in einem Brief an das Mädchen über
ihn sagen würden, (daß er ein Freund von mir ist oder so was
Ähnliches) damit sie ihn von Anfang an nicht für den trivialen
jungen Herrn nimmt und ein bischen ihm die Möglichkeit gibt
mit ihr zu sprechen – denn ich denke mir, da F. ziemlich hautain
und zurückhaltend ist, und jedenfalls das Gegenteil von pushing,
und die Eltern S. auch sonderbar und wenig erwärmend zu sein
scheinen, so könnte es sein, daß er einmal da frühstückt und die
beiden jungen Menschen vielleicht keine 5 Worte miteinander
wechseln. Vielleicht ist es aber gefährlich, das Mädchen auf jemanden aufmerksam zu machen, denn vielleicht ist sie von
mißtrauischem Charakter, aber ich denke wenn es von Ihnen
käme, ist ausgeschlossen daß sie es d'un oeil méfiant betrachten
würde. Vielleicht schreiben Sie mir, bitte ein Wort darüber (über
Rodaun, das ist die sicherste Adresse) ob Sie ihr etwas schreiben werden oder nichts.

Ich gehe heute abends über Triest nach Athen. Harry Kessler und
Maillol schwimmen heute schon zwischen Marseille und Neapel.

Freitag soupieren wir hoffentlich schon zusammen in Athen. Solche Dinge haben doch immer etwas Traumhaftes.

Ich freue mich auf ein paar Zeilen von Ihnen. Ich hoffe ich werde im October mit vielen fertigen Comödien in Weimar erscheinen. Gustav Richter will mich malen und wir haben gesagt wir werden es in Weimar machen.
Ich freue mich, wenn ich es überlege, sehr, für Sie Beide, daß Sie hinkommen.

Ich möchte etwas über die Leute in Weimar sagen. Van de Veldes und von Hofmanns sind 4 Menschen von denen es um so besser ist, je mehr man von ihnen sieht und auch in Bezug auf die Menschen die man bei ihnen und durch sie sehen wird, kann man sich ihnen blind anvertrauen und wird nur gewinnen.
Nicht ganz so steht es mit Frau Förster Nietzsche. Hier ist etwas Vorsicht am Platze. Ihr Haus ist schon eine Art von ressource, weil so vielerlei Fremde durchkommen. Aber sie serviert einem eben mit der gleichen Begeisterung alles, was durchkommt, ob es ein Dichter ist oder ein insipider kleiner Fürst, ein Professor oder eine Graphologin. Sie ist eine sonderbar gemischte Person, die gute. Manchmal, besonders unter 4 Augen, wirkt sie sehr schön, manchmal ist sie von einer süßlichen, pastörlichen Kleinbürgerlichkeit und Tactlosigkeit daß man die Wände hinauflaufen möchte. Auch Kessler hat sich schon oft furchtbar über sie geärgert. Ich sage das alles, weil sie Ihnen sehr nachlaufen wird und das wird auch nicht Falschheit sein, sondern ganz echt gemeint aber es ist gut wenn man sich so einrichtet daß man es niemals notwendig hat, sie zu distancieren.

Ich wollte ich könnte im Sommer hin und sehen wie Sie sich an der Landschaft freuen. Aber ich glaube, ich habe zuviel Arbeit vor, und erste Hälfte October muß es noch wunderschön dort sein, auf diesen Moment hoffe ich.

Zur Elektrapremière sind wir dann alle in Dresden, nicht wahr?

Ich lasse Herrn von Nostitz bitten wenn er später ein bischen Zeit hat, im Märzheft der Neuen Rundschau den Aufsatz Falscher Idealismus zu lesen. Auch möchte ich, er läse das Buch »Christus und Sophie« von Johannes Schlaf, weil dieser Schlaf der Mühe wert ist und auch in Weimar lebt.

Ich lese (und mit noch größerem Vergnügen als je zuvor) die Memoiren des wundervollen Casanova in einer sehr hübschen deutschen Ausgabe und gedenke nichts anderes als 3 Bände dieses Buches nebst einer Odyssee nach Griechenland mitzunehmen. Freue mich sehr auf paar Worte von Ihnen.

Hofth.

[Ansichtskarte]   Delphi, 8. v. [1908]

Von einem der schönsten Orte der Welt grüßen wir Sie beide herzlich

Hofmannsthal
A. Maillol

Ich erfahre erst durch Hugo das so sehr freudige Ereignis. Ihnen und dem Baby alles Glück wünscht von Herzen Harry Kessler

Rodaun, 29. Mai [1908]

Liebe gnädige Frau

Sie ahnen es wahrscheinlich gar nicht, wie sehr mich Ihr Nicht-antworten auf meinen letzten Brief beschäftigt und gequält hat. Ich hoffe wenigstens Sie ahnen es nicht – denn anderenfalls hätte ich ja recht mit meinem Gedanken, der mir manchmal kommt, daß Sie mich absichtlich ohne Antwort gelassen hätten, weil Ihnen eine nuance meines Briefes mißfallen hätte – eine unangenehme Möglichkeit die mir manchmal denkbar und manchmal ganz undenkbar erschienen ist – die Andere noch unangenehmere, die mich in Griechenland verfolgte, als die Antwort immer und immer nicht nachkam, war, daß Sie krank wären, dies ist aber glücklicherweise aufgehoben – seit mir jemand der Ihre Mutter in Italien gesehen hat, gesagt hat, daß Sie sehr wohl sind und das Baby auch, Gottlob.

Ich hatte natürlich gleich nach dem Abschicken des Briefes nicht den Gedanken, er könnte Sie geärgert und in Bezug auf mich irre gemacht haben, sondern dieser Gedanke entstand erst nachher, als eine Art Hypochondrie. Nämlich so: daß Sie könnten den entrain mit dem ich jene zufällige Combination (Ihr Sprechen über die kleine S.) aufgenommen hätte, als unsympathisch empfunden haben und namentlich daß ich dann in dem Brief an Sie ganz trocken und unsentimental die Chancen dieses Heiratsprojects (mit meinem Freund F.) besprach, dies möchte Ihnen nicht zu mir gepaßt haben (während es Ihnen etwa zu einer beliebigen älteren Tante ganz gut gepaßt hätte) – aber wenn dies wirklich so war, und eine Art Verstimmung gegen mich Schuld war, daß Sie mich ohne Antwort gelassen haben – so haben Sie mir vielleicht doch ein kleines Unrecht getan, denn diese Art, eine reale Sache zu behandeln, paßt ganz gut zu mir, eben so wie ich mir Scenen eines Stückes sehr präcis und lebhaft ausdenke, so arbeitet meine Phantasie auch mit einem Plan, einer geschäftlichen oder amtlichen oder socialen Combination sehr lebhaft und ohne Zügel – ach Gott, indem ich mich da wieder entschuldigen will, scheint es mir wieder ganz undenkbar, daß Sie diese Sache mißverstanden oder übelgenommen hätten und das Ganze kommt mir wie muffiges Gerede vor und Sie haben mir vielleicht aus Gott weiß welcher zufälligen Ursache nicht geantwortet. – Indessen war aber F. in Florenz und diese Sache ist in einer ziemlich sonderbaren Weise verlaufen, über die ich Ihnen gerne schreiben möchte, aber ich kann es erst, bis wir wieder in Contact sind, also bitte schreiben Sie mir nur wenige Zeilen aber gleich, und sagen mir, ob ich nach Weimar oder Dresden schreiben soll. Denn in diesen Tagen übersiedeln Sie, wenigstens in meiner Phantasie, vielleicht auch in Wirklichkeit, und halb freu ich mich, Sie in dem kleinen Weimar mit blühenden Hügeln und Gärten mir vorzustellen, halb ist es mir ganz wehmütig, vielleicht den letzten Brief nach der Wienerstraße (was für liebe schöne gute Stunden und Tage!) zu richten. Leben Sie wohl, und nehmen beide meine ganzen Gedanken und Wünsche von diesem nach jenem Haus hinüber.

Herzlich   Ihr Hofmannsthal

Wienerstraße [Anfang Juni 1908]

Lieber Herr von Hofmannsthal
Ein letzter Gruß von der letzten Stunde aus der Wienerstraße. Das Harte des Lebens tritt einem in solchen Stunden so nah. Das Scheiden und Vergehen der Dinge! – Nein, nur äußerliche Gründe: ein etwas gelähmter Finger – große Hetze, Nerven-Ermüdung – ein angefangener Brief der mir nicht gefiel und den ich liegen ließ, haben mich abgehalten.
Näheres von Weimar. Eine Verschiedenheit der Meinung über Dinge würde mich auch in Menschen nie stören. – Ich habe sogar über das sehr Positive Ihres Briefes sehr gelacht. Aber gerade dieses sehr Positive des Menschen ist das Knochengerüst, das wir brauchen, um wirklich Freunde zu sein.
Aus Weimar weiter.
In Eile und Ermüdung   Ihre Helene Nostitz

Alfred grüßt vielmals. Dank für die schöne griechische Karte.

Liebe gnädige Frau

ich bin sehr froh, zu sehen, daß Sie das Positive nicht übel genommen haben. Das Gegenteil hätte mich auch sehr deconcertiert.

Ich fahre also sehr positiv fort. Franckenstein hat auf mein Zureden diesen Besuch bei S.'s gemacht. Es war 10 gegen 1 zu wetten daß ihm das Mädchen nicht hübsch, nicht sympathisch, unelegant, oder sonst etwas erscheinen würde. Das Entgegengesetzte traf ein. Ich lege den Brief bei (ohne seine Autorisation natürlich und sehr gegen meine Gewohnheit, wie Sie wissen, aber man darf nicht Sklave seiner Principien sein) worin er mir in großer Hast seinen Eindruck von ihr mitteilt. Er hat sie dann noch ein paarmal gesehen und gesprochen (nur einmal, 10 Minuten, allein) der Eindruck wurde immer besser. Aber es machte ihn sehr ungeduldig, daß absolut keine Möglichkeit war weder sie allein, noch sie öfter zu sehen. In dieser Situation tat er etwas sehr Loyales, ganz Erklärliches, ganz Nettes aber sehr Unpraktisches. Er schrieb einen Brief an die Mutter, worin er sagte, daß ihm das Mädchen sehr gefiel und ihm dieser Verkehr sehr sympathisch sei – da er aber sonst keinen Grund habe, seinen Aufenthalt in Florenz auszudehnen, so frage er sie (die Mutter S.) ob er hoffen dürfe in der nächsten Zeit sie und ihre Tochter öfter zu sehen, denn sonst würde er abreisen. Zugleich bat er um Bescheid ob er sie morgen oder übermorgen wieder besuchen dürfe. Es kam zunächst der telephonische Bescheid, daß die Damen S. bedauerten, Baron F. morgen und übermorgen nicht empfangen zu können. Darauf reiste er ab. In Wien bekam er dann einen sehr kühlen Brief der Mutter, die sagt, sie hätten sich gefreut, den Sohn eines alten Freundes wiederzusehen, aber nach diesem Brief, der sie sehr überrascht hätte, u. s. f. kurz deutliche Ablehnung.

Nun muß ich ja den Menschen nicht mit der guten S. verheiraten, ich muß, d. h. will ihn nur überhaupt verheiraten. Die gute kl. S. wäre also für mich durch diese höchst ablehnende Mutter schon erledigt wenn sie nicht 1.ens) ihm so gut gefallen hätte 2.tens) Sie so warm über sie gesprochen hätten.

Die Mutter ist also jedenfalls gegen F. Vielleicht ist sie gegen jeden. Vielleicht hat sie eine bestimmte Partie, einen Standesherrn, Sultan, Lebaudy, Pierpont Morgan oder sonst was im Kopf. Es handelt sich nur um die Tochter. Ich sehe drei Möglichkeiten: entweder die Tochter interessiert sich im Stillen und unglücklich, aber beharrlich für irgend jemanden irgendwo   oder sie ist frei und F. hat ihr aber gar nicht gefallen, gar keinen besonderen Eindruck gemacht (diesen Fall nimmt er an, da er ganz frei von fatuité ist) oder er hat ihr auch gut gefallen so wie sie ihm.   Können Sie das mir zuliebe zu meiner Information herausbringen, damit ich weiß, ob ich diese Combination aufzugeben habe oder nicht??

Bitte schreiben Sie mir ob Sies herauszubringen versuchen wollen oder nicht, und in wie langer Zeit ungefähr. Ferner bitte schreiben Sie mir über Weimar, wen Sie schon gesehen haben u.s.f. es interessiert mich so sehr. Schreiben Sie, bitte, im Garten oder beim offenen Fenster, da werden Sie schon Zeit haben zu schreiben.

Ich schreibe jeden Tag an einem sehr netten Lustspiel, davon bin ich müd, sonst schriebe ich Ihnen viel mehr.

Noch etwas: ich habe, glaub ich, im vorletzten Brief sehr von Casanova geschwärmt, er ist auch reizend, ein Genie des Lebens, aber kaufen Sie das Buch nur ja nicht, es ist ein unmögliches Buch für eine Frau. (Ich sage das sehr im Ernst).
Herzlich

                                        Ihr Hofmannsthal

Lieber Herr von Hofmannsthal,

Hier sitze ich wirklich draußen und sehe in die Baumwipfel hinein und auf alte Dächer, auf denen sich rote Geranien anlehnen, und die Sonne scheint. Ich bin noch immer müde und abgespannt in den Nerven und kann mir noch wenig zutrauen. Aber ich denke mir, unter all diesem Grün und blühenden Wiesen werden sich diese langweiligen Nerven beruhigen. Die van de Veldes wollten uns gern abends öfters dort haben, aber auch das ging noch nicht. Morgen will ich es versuchen. Einmal waren wir dort 1 Stunde und sie war mir auch sehr angenehm. Klar und edel. Man muß sie in ihrem Hause sehn. Einfach kann man und muss man mit ihnen sein und keine unnützen Worte sagen. No nonsense about them. Wir trafen dort Kurt Herrmann. Er scheint mir etwas skeptisch über das, was Frauen sagen werden (oder Menschen überhaupt), aber über Menschen später, wenn wir erst in unserem Haus sind. Von dort haben wir eine Aussicht, die Sie auch haben werden, wenn Sie bei uns wohnen und die ich Ihnen nicht beschreiben werde. Kommen Sie nur selber her. Aber es geht alles sehr langsam mit dem Einrichten. Die Spaziergänge sind hier ein großer Genuß. Die Lichter sind so schön und die Hügel haben so wundervolle Linien. Ich glaube, wir werden sehr glücklich hier sein. Ich muß aber einen Ort immer erst ganz durchleben, eh ich ihn wirklich liebe. Zuerst tanzt man nur so herum und findet dies hübsch und das schön. Gestern war Gala-Vorstellung für den Großherzog. »We won't wait to see this Baby?«, sagte eine Amerikanerin, die im Gedränge stand. Ihr Baby erschien erst zum letzten Act. Es wurden die lustigen Weiber von Windsor gegeben. Abgekürzter Shakespeare mit etwas Musik. Manchmal denk ich, ob diese Zusammenstellung: ein wirkliches Werk mit Musik nicht doch falsch ist.

Ich bin sehr gespannt auf die Elektra, zu der wir zusammen nach Dresden fahren werden, hoffentlich.

Ich wäre für Bücher, die ich lesen darf (did you forget the wicked school girl instinct in me, als Sie »unmöglich« sagten?) sehr dankbar. Die Deslandes hat mir ein neues Buch von sich »Cyrène« geschickt, das eine gewisse artificielle Art, die Natur anzusehen hat, wie ein Ornament auf einer Tapisserie, und dadurch nicht ohne Interesse ist, glaube ich.

Ich möchte nichts bei M. S. ausfinden. Man muß ja vielleicht manchmal solche Dinge combinieren, aber es ist meinem ganzen Wesen und [meiner Auffassung] dieser Dinge zu entgegengesetzt. Etwas hat mir gefallen in dem, was Ihr Freund sagt. Es hätte ihm schon das mit de Zichy Wegh gefallen. Wenn je etwas daraus würde, so ist es dieser Punkt des rein Menschlichen, der sie zusammen bringen könnte.

Mein Mann denkt, daß seine Tätigkeit hier befriedigend sein wird. –

Viele herzliche Grüße   Ihre Helene Nostitz.

Von der St. Denis bekam ich neulich einige Worte; wo mag sie jetzt sein? Sie schrieb:

»Dear Lady of Dresden! Und mit dem Glück soll einmal etwas werden, und ich soll doch nicht wieder erzählen.«

P. S. Mündlich könnte ich ja M. S. einmal fragen, wie ihr B. Fr. gefallen hätte – Aber das ist nicht abzusehen wann, da ich sie jetzt wohl nicht sehe.

R. 7. VII. [1908]

Ich sehe Sie immer in einem netten hellen Kleid unter sehr hohen fast unwirklich hohen Blumen herumgehen, in einer Art Baumgarten, wahrscheinlich eine ganz unberechtigte aber eigensinnig in mir haftende und mehrmals im Tag auftauchende Vorstellung.

Indessen haben Sie schlechte Nerven (die aber in 6 Wochen besser sein werden.) Im December waren Sie doch eigentlich sehr wohl, so frisch und zu allem bereit und aufgelegt, es war eine reizende Zeit, ich denke so gerne daran.

Von Ruth habe ich schon seit vielen Monaten kein Lebenszeichen. Der Yoghi, eine neue Scene, die sie in Wien tanzte, war doch das Schönste, das Intensivste was ich je im Leben (an Lebendigem) mit Augen gesehen habe.

Habe ich das Folgende schon einmal gesagt – dann bitte ich um Verzeihung – ich habe durch sehr intensives Arbeiten einen wirren Kopf, schreibe Ihnen auch öfter in Gedanken, viele Seiten, aber es bleibt dann durch Zeitmangel unaufgeschrieben. Nun kommt es. Nämlich in Griechenland schien mir Harry K. etwas traurig darüber, als ich ihm erzählte, daß Sie das Baby hätten, daß er gar keine directe Nachricht durch Ihren Mann gehabt hatte. Er ist Ihnen beiden ein so wahrer Freund und in so kleinen Dingen sensibler, als man es denken würde. Ich sagte ihm gleich, es werde gewiß der Brief verloren gegangen sein. Aber das sagt man ja immer.

Er ist momentan sehr wenig wohl, muß oft liegen, in Paris. Folge eines in Griechenland überstandenen Gelenksrheumatismus. Er geht, sobald er kann, nach Wiesbaden zu einer mehrwöchentlichen Cur. Briefe erreichen ihn am sichersten über Weimar.

———

Wegen meines Hinkommens. Ich freue mich mehr darauf, als das abgenützte und oft mißbrauchte Wort ausdrückt. Es könnte eine fabelhaft nette Zeit werden. Ich kann vielleicht 2, vielleicht 3 neue fertige Stücke mitbringen. Ich existiere die nächsten 2–3 Monate nur für die Arbeit, trenne mich sogar von den Kindern, alles um ein Maximum an Ruhe und Concentration zu erreichen.

(Ich bin im 2ten Act einer Comödie – nicht die vom vorigen Herbst, die auch noch unvollendet ist.) Meine Frau bringt die Kinder nach Aussee, ich gehe 25ten Juli – 20ten August nach Sils Maria im Engadin, Hotel Alpenrose. (Bitte dorthin schreiben wenn Sie Lust haben und dürfen.) Im Lauf des September hoffe ich Vieles unter Dach zu haben. Dann würden wir die erste Hälfte October nach Neubeuern gehen zu Wendelstadts, [um] dort mit unseren Freunden Bodenhausen, die viel Unglück durchzumachen hatten beisammen zu sein.

Weimar könnte zwischen Ende October und Mitte November sein, vielleicht dazwischen Proben in Berlin und wieder zurückkommen. Zurückkommen ist so etwas Nettes.

Paßt Ihnen diese Zeit? ?

Wohnen würde ich unendlich gern, wenn ich darf, aber nur falls zufällig etwa im Augenblick wo ich ankomme, Harry nicht da ist. Wenn er da ist, muß ich bei ihm wohnen. Er sagte mir, als ich von »teilen« sprach darüber einmal etwas so Heftiges, daß ich erschrak und zugleich gerührt war. Er sagte, wenn das einmal vorkäme, könnte es ihm Weimar auf immer verleiden. Bitte um ein paar Worte.

Ihr H.

[Weimar] Tiefurter Allee 6, [Juli 1908]

Lieber Herr von Hofmannsthal

Dies wird nicht ein wirklicher Brief, nur einige Zeilen, um Ihnen zu sagen, daß uns Ende October, November sehr gut paßt. Je näher dem November je besser. Und nun werde ich etwas Häßliches sagen. Ich hoffe fast, Kessler ist nicht da, wenn Sie ankommen, aber nachher soll er kommen. Ich glaube auch, daß es sehr hübsch sein kann, wenn die Atmosphäre und Sterne es wollen. Dank auch für das, was Sie über Kessler in Beziehung zu uns sagten. Wir sind sehr bestürzt über seine Krankheit.

Denken Sie, wir werden am 1ten August auch im Engadin sein, in St. Moritz, da ich dort Stahlbäder nehmen soll. Wir wollten es Ihnen nicht verschweigen, da das schöne Sils Maria so nah ist, aber wir werden es vollkommen verstehen, wenn Sie uns lieber nicht treffen wollen und ganz ruhig sein wollen. Sollten Sie einen Nachmittag aber Zeit und Lust haben, einen Spaziergang mit uns zu machen, so erreicht uns eine Karte oder Telefon Schweizerhof St. Moritz Dorf. –

Wir genießen jetzt hier abends die Stille, die schöner ist als die Stille auf dem Lande, weil so einige Töne doch aus der Stadt heraufdringen und aus der Caserne der Zapfenstreich.

Viele herzliche Grüße. Ihre Helene Nostitz

Heute sind wir wirklich in Goethes Garten unter unwirklich hohen Blumen gegangen.

[Sils-Maria, Hotel Alpenrose] 31. [Juli 1908]

Liebe gnädige Frau

sind Sie wirklich schon da? in der Fremdenliste steht, daß Sie schon da sind. Also guten Tag. Sie werden die ersten drei Tage die Luft stark fühlen, und Herr von Nostitz auch. Ich konnte die ersten 3 Tage weder atmen noch gehen noch denken. Jetzt kann ich aber schon arbeiten und bin sehr froh. Später kommt (wie ich unerwarteterweise vorige Woche hörte) meine Schwiegermutter nach St. Moritz Bad. Ich weiß daher nicht ob wir oft nach St. Moritz kommen werden. Jedenfalls Combinationen hab ich nicht gern. (Sie ja auch nicht.) Ich hoffe Sie kommen einmal oder öfter hierher. Wir haben hier eine entzückende Halbinsel und andere schöne Dinge. Nachmittags arbeite ich gewöhnlich nicht. Mein Schwager (dieser den Sie kennen) soll auch herkommen, teils hierher, teils nach St. Moritz. Hierher kommt auch Miss Deacon, die schöne Person aus Rom, von der ich Ihnen öfter erzählt habe.

Viele Grüße an Herrn von Nostitz. Und bitte um 2–3 Worte sobald Sie Lust dazu haben.

Ihr Hofmannsthal

[Gigers Hotel Waldhaus Sils-Maria]
wir wohnen Alpenrose! [August 1908]

Liebe gnädige Frau

es ist doch eigentlich sehr nett, daß Sie so nahe sind. Aber es will mir noch gar nicht recht in den Kopf hinein, daß es wirklich so ist, daß Sie wirklich nun so viel näher sind, als sonst jahraus jahrein. – Ich wollte nur dies sagen. Wenn Sie wegen Sils herkommen und nur nebenbei nach uns fragen, so ist ja auch das sehr nett, wenn Sie aber doch auch ein bischen wegen uns kommen so lassen Sies bitte morgens oder den Abend vorher telephonieren. Dann freu ich mich darauf und es ist mir überhaupt viel viel lieber wenn ich es weiß.

Ihr Hofmannsthal

P. S. Es geht mir manchmal durch den Kopf wie merkwürdig das eigentlich war, daß ich diesen Herbst zu Ihnen wohnen gekommen bin, wo wir uns doch vorher fast gar nicht gekannt haben! Alle netten Dinge sind mit etwas Sonderbarkeit und imprévu gemischt.

———

Ich mache eigentlich sozusagen drei Stücke gleichzeitig. In allen dreien handelt es sich um die Ehe, um das Glück der Ehe. Manchmal amüsiert mich diese dreifache Strahlenbrechung in einer Weise die etwas von Zauberei hat.

6ten abends [August 1908]

Liebe gnädige Frau

wir sind sehr erfreut und dankbar und sehen nun, daß Angst ein
Engel ist und würdig wäre Vicepraesident des Goethebundes zu
werden. Wir werden am 9ten nachmittags erscheinen. Nur eins
bitte ich noch sagen zu dürfen. Falls es vielleicht eine alte
Gewohnheit von Ihnen ist mit diesen Lyhnars (schreibt man die
Leute so? wahrscheinlich ganz anders) an einem Tisch zu essen,
so bitten wir Sie sehr, da nur gewiß keine Combination oder Ver-
änderung unseretwegen zu machen – denn es ist doch ganz gleich
ob man zusammen ißt, wenn man sich nur sonst öfter sieht.Wir
freuen uns sehr. Es wird sehr nett sein.

Ihr Hofmannsthal

Aussee, Obertressen. 11. ix. [1908]

Liebe gnädige Frau

nun sind Sie zu Hause, denke ich. Also guten Tag in Weimar!
Daß man sich gesehen hat, war doch gut und schön ganz ohne
Einschränkung.Denn die Umstände sind gegen dem Wesentlichen,
daß man einander Aug in Aug sieht und die tausend kleinen
netten Dinge, doch nur was der Rahmen von einem Bild ist, und
die Handschrift des Malers bleibt doch immer die gleiche, ob der
Rahmen eng oder weit.

Ich freue mich recht sehr aufWeimar. Ich hatte schlechteWochen,
fast als ob mich die Luft dort vergiftet hätte wie eine Krankheit.
Tiefe Niedergeschlagenheit und ein sinnloses, wesenloses Angst-
gefühl wie nie früher in meinem Leben. An einem bestimmten
Tag wurde es am schlimmsten und seit damals glaube ich, daß
ich es eigentlich überwunden habe. Es gibt einen Augenblick wo
man einem solchen gespenstischen Ding, Krankheit, Zustand, ins
Auge sehen, es klar erkennen und dadurch der Herr darüber

werden kann. (Ich spreche von solchen Nervenzuständen nicht von den Krankheiten der anderen Art) Ich hoffe, Sie haben es auch hinter sich – aber ich glaube auch, daß ich Ihnen jetzt seit dieser inneren Erfahrung helfen könnte, direct helfen wie ein Arzt. (Aber ich denke, Sie brauchen mich nicht mehr.)

Franckenstein wird mit großer Freude einmal nach Weimar kommen, ohne alle Nebengedanken. Haben Sie keine Nachricht von der jungen Person, die ich durchaus glücklich machen will? Vielleicht schreiben Sie einmal eine kleine Zeil. Die gräßlichen Berge hab ich bekommen.

Ihr H.

Weimar, Tiefurter Allee 6   [September] 08

Lieber Herr von Hofmannsthal,
Ich war die letzte Zeit in St Moritz sehr unglücklich allein und litt auch an einer schrecklichen Depression, die mich einige Tage auch hier verfolgt hat. Nun aber fängt alles Schöne an, wieder für mich da zu sein – abgesehen von dem großen Kummer, daß es der kleinen Olly noch immer nicht besser gehen will.
Zuletzt bin ich noch einmal mit Gladys Deacon gefahren. Es ist wirklich eine großzügige reiche Intelligenz und ihre Sprache recht schön, und ihre Bilder. – Wir sind fast gegen einen Felsen dieser feindlichen Natur zusammen zerschmettert worden und sprachen dann über Wilhelm Meister weiter. Ich hatte dann aber genug und reiste ab. Es schien mir, als wollten mich alle diese großen Berge verschlingen.
Wir freuen uns auch sehr auf Ihr Kommen. Jetzt wo die Einrichtungsdinge fast vorüber sind, fühle ich mich doch noch als Zuschauer in diesem Ort. Die Zimmer haben noch nichts Erlebtes. Da müssen die Freunde, die Gespräche auch kommen, um überall einen Hintergrund für das tägliche Leben zu schaffen.
Auch bin ich in einem Stadium, wo ich herumsuche und zu nichts

Rechtem komme, weil mir plötzlich meine Talente so unwichtig und mangelhaft erscheinen und doch bin ich ohne sie nicht zufrieden. Ich werde Ihnen eine meiner Skizzen schicken – wenn Sie nichts daran finden, brauchen Sie gar nichts darüber zu sagen – nur einige Worte, wenn Sie finden, daß ein Weiterarbeiten in dieser Richtung lohnen würde.

Es wäre sehr nett, wenn Franckenstein wirklich käme. Von M. habe ich nichts mehr gehört. Ein merkwürdiges Zusammentreffen. Am selben Tag wie Sie schrieb mir die St. Denis nach langer Zeit.

Wir haben noch niemanden gesehen. Van de Velde ist fort.

Viele Grüße   Ihre Helene Nostitz

[Südbahn-Hotel Semmering]   3. x. [1908]

Liebe gnädige Frau

es quält mich, daß ich Ihnen nicht schreiben kann, aber ich kann jetzt nicht schreiben, ich quäle mich sehr mit meiner Arbeit. Es ist möglich daß ich in diesem Monat fertig werde, dann käme ich in den ersten Tagen November gern nach Weimar – würde Ihnen das passen? Oder ist das gerade der Moment, der Ihnen nicht paßt? Bitte schreiben Sie mir ein kurzes Wort, ich habe vergessen was wir besprochen hatten.

Darf ich die beiden Skizzen behalten? Sie sind mir etwas Sympathisches in der Lade liegen zu haben. Warum machen Sie in der Fiebergeschichte einen Mann aus der Frau, die das erlebt? Es war doch gerade das Nette, zu denken, daß Sie mit Ihrem grauen Hund das halb erlebt und halb geträumt haben. Wozu diese Verfälschung! Man soll solche kleinen Dinge, glaub ich, nicht mehr als nötig vom Persönlichen lösen. Das Persönliche ist sozusagen ihre Existenzberechtigung.

Ich denke oft, ob die Zimmer noch »fremd« sind, oder schon anders. Wie sonderbar ist das. Auch mit Landschaften gehts mir so.

Hier war ich oft, wie beseelt das die Wege, die Bäume werden menschlich. Wer sind wir eigentlich? Aber das ist gleichgültig: freuen wir uns über einander.

Leben Sie wohl. Schreiben Sie mir eine kleine Zeile?

Ihr Hofmannsthal.

Weimar, Tiefurter Allee 6.   7. Oct. 08.

Lieber Herr von Hofmannsthal,

Sie müssen sich nie quälen, wenn Sie mir nicht schreiben kön-nen – Ihre Briefe sind mir eine große Freude, aber ich versteh es so, wenn Sie schweigen.

Ich freue mich zu denken, daß meine Skizzen bei Ihnen bleiben und wünsche sie nicht zurück.

Anfang November paßt uns ausgezeichnet. Wir hoffen sehr, daß Sie bei uns wohnen werden. Dieses wirkliche Sprechen ist ein großer Genuß und haben wir so mit niemanden.

Es würde gar nicht dasselbe sein, wenn Sie bei Kessler die ganze Zeit wohnten und nur ab und zu kämen. Wir wären traurig, wenn wir das dies Jahr entbehren sollten.

Die Zimmer sind noch nicht ganz wie sie sollten und brauchen diese Gespräche.

Ich hatte neulich wieder einen großen Eindruck vom Nietzsche Archiv.

Der Herbst ist hier von einer großen Schönheit und das Manöver brachte eine frische, lustige Note hinein. –

Ich muß hinunter.

Viele Grüße   Ihre Helene Nostitz

Rodaun, 19. x. [1908]

Liebe gnädige Frau

Sie schreiben: »Ihr Weimarer Aufenthalt inclusive Kessler« – Sie nehmen also an, daß er im November in Weimar sein wird –

was ich nicht annahm. Wissen Sie es – oder ist es nur eine Vermutung?

Ist Kessler dort so ist es absolut ausgeschlossen daß ich anderswo wohne als bei ihm. Wenn er aber vielleicht erst Mitte November kommt, so könnte ich vielleicht einteilen, daß ich 2–3 Tage vor ihm ankäme und diese 2–3 Tage in der Tiefurter Straße wohnen würde. Aber soll er denn kommen? Ich dachte (ohne mit Kesslers Anwesenheit, wie gesagt, zu rechnen) etwa am 7ten, 8ten oder 9ten für etwa 4–5 Tage zu Ihnen zu kommen. Bitte nur eine Zeile auf Karte ob es paßt und falls Sie es wissen, wann etwa Kessler kommt. Letzter Aufzug noch nicht fertig.

Ihr H.

R. 4. XI. [1908]

Liebe gnädige Frau

ich bin ganz unglücklich daß ich abermals verschieben muß! Es sind physisch sehr schlechte Tage schuld, und auch eine plötzliche Combination mit Kessler der nun doch den 24ten in Weimar eintreffen will. Ich hoffe nun sehr, daß Sie meine Verschiebungen nicht satthaben und mir nicht jetzt telegrafieren, daß Sie mich überhaupt nicht mehr haben wollen. Ich rechne jetzt definitiv: 15ten–18ten in Berlin, 19ten–23 oder 24 bei Ihnen, dann paar Tage bei Kessler. Hoffentlich paßt es! Bitte umgehend eine Zeile oder Depesche.

Ihr Hofmannsthal.

Weimar Tiefurter Allee 6   6. November 08

Lieber Herr von Hofmannsthal,

Wir freuen uns sehr, wenn Sie 19–23. oder so herum kommen. Es würde sich höchstens darum handeln daß wir Sie eventuell bäten, statt am 19ten am 20ten zu kommen, aber ich hoffe, es wird nicht nötig sein. Bitte richten Sie sich für den 19ten ein – wir würden Sie früh genug benachrichtigen.

Ich war eben einige Tage in Berlin – Auch bei den lieben Richters in Wannsee und den Harrachs. Habe sehr eine Clavigo Aufführung in den Kammerspielen genossen. Man kann gegen Reinhardt sagen, was man will – er ist doch am interessantesten.

Politisch war alles wohl erregt, aber auf eine so laue höfliche Weise und das Ganze ist so kläglich uninteressant in seiner Ursache. Comme des petits écoliers qui ont fait une faute d'orthographe.

Es tut mir so leid, daß Sie nicht wohl waren. Geht es Ihnen besser? Ich freue mich jetzt mit einer großen, inneren Dankbarkeit meiner Frische (unberufen) und freue mich sehr auf die Tage mit Ihnen.

Viele Grüße   Ihre Helene Nostitz

Weimar Tiefurter Allee 6, 8. Nov. 08

Wollen Sie dies lesen und mir eine offene Antwort darauf geben. Ich hätte es Ihnen lieber mündlich gesagt – aber es scheint zu eilen. Mein Bruder sagt am Schluß: Sie möchten ihn auch ruhig in der Einleitung tadeln. Wie gesagt – nicht wahr, Sie werden ganz offen sein, wenn Sie es nicht tun wollen, und werden gar nicht darin so tun als wenn wir befreundet wären.

Wir müssen jetzt einige schmerzliche Regierungsfeste durchmachen (3 Stunden bei Tisch). Die Länge ist das schmerzliche, sonst, unter den Menschen, findet man ja einiges Annehmbare und vielleicht weniger Öde wie bei vielen eleganten Leuten.

Hoffentlich auf baldiges Wiedersehen

                                                        Ihre Helene Nostitz

[Rodaun, Januar 1909]

Liebe gnädige Frau

Die Karte die Sie mir mit Ruth schrieben, freute mich sehr. An was für nette Tage erinnerte sie mich!

Wenn ich nun nach der Dresdner Elektra d. i. Donnerst. am 28ten für paar Tage nachWeimar zu Kessler komme, finde ich Sie in Weimar? Ich sehne mich sehr danach, mit Ihnen ein bissl spazierenzugehen, mit Ihnen Tee zu trinken – ich wäre sehr traurig wenn Sie nicht dort wären.

Bitte schreiben Sie mir gleich eine kleine Zeile, bitte.

Ihr Hofmannsthal

Oder kommen Sie nach Dresden? Das wäre sehr nett!

Freitag [Januar 1909]

Lieber Herr von Hofmannsthal,

Das war eine Freude, wieder ein Lebenszeichen von Ihnen zu bekommen, als Zeichen, daß es Ihnen wirklich unberufen besser geht. –

Aber nun die Pläne.

Grade am 28ten oder 30ten hatte ich meiner Mutter versprochen, auf 1 Woche bis zum 5ten Februar zu ihr nach Berlin zu kommen und da ich sie schon einigemal in letzter Zeit in Stich gelassen habe, möchte ich es sehr ungern wieder, kann es eigentlich nicht, ohne ihr weh zu tun. Müssen Sie nicht auch nach Berlin? und wäre es nicht möglich, daß Sie es umgekehrt machten: erst Berlin und dann Weimar? Das wäre reizend. –

Wegen Elektra. Mein Mann kann nicht hin und da bin ich nun auch unentschlossen. Wußte nicht, ob Sie und Kessler sicher da wären. Wann sind Sie in Dresden? Ich bekomme wohl auch keinen Platz mehr? oder haben Sie noch ein Billet? Ist es am 26ten?

Vielleicht schreiben oder telegrafieren Sie mir über diese beiden Combinationen ein Wort.

Wie schön und still es hier zum Schreiben und Lesen ist – nur etwas Wind um das Haus.

Ihre Helene Nostitz

R. 17. 1. [1909]

Liebe gnädige Frau

Da bin ich wirklich sehr traurig! Genau die acht Tage die ich in Weimar verbringen wollte! Ich bin ziemlich ratlos. Das einzige ist daß ich Kessler proponiere, mit uns zuerst nach Berlin zu gehen und dann nach Weimar. Aber ich habe ihn im November schon über Gebühr mit Plänen und Verschiebungen belästigt. Immerhin mache ich ihm diese neue Proposition mit gleicher Post, nach Weimar wo er am 22ten eintreffen soll. Bitte also trachten Sie ihn sofort zu sprechen oder schreiben Sie ihm, so daß ich von ihm in Dresden unterrichtet werde was Sie mit ihm ausgemacht haben. Uns ist alles recht. Wir haben im ganzen 2½ Wochen zur Verfügung.

Ihr Hofmannsthal

Es wäre schon sehr nett, wenn Sie zu der Aufführung in Dresden wären. Freilich macht es Ihre Reise viel größer. Freilich kann ich unmöglich noch einen Platz von Seebach verlangen. Er accordierte mir schon sehr de mauvaise grâce einen für Kessler, auf dem ich bestand und hat mir für mich und Papa und Gerty nur Plätze gegeben, keine Loge. Aber wenn Sie ihm direct telegrafierten? Bin vom 24ten morgens Dresden – A Europ. Hof.

Mittwoch [Januar 1909]

Ganz unglücklich geht mir das immerfort im Kopf herum, daß es nun ganz einfach möglich ist, daß ich nach Weimar komme und Sie an dem Ort wo Sie für meine Phantasie sind, dann aber nicht sind, und das nicht für 1–2 Tage, sondern genau für die

79

ganze Zeit – so daß Sie vielleicht an dem Tage aus Berlin kommen, wo ich dorthin fahre – das ist doch wie ein böser Traum, und das, nachdem man sich durch 1½ Jahre nicht gesehen hat, denn das Sehen in St. Moritz zählt doch nicht. Hat man sich auf der Welt wirklich nur, um sich nicht zu haben. Bitte arrangieren Sie es mit Kessler, das wäre so fabelhaft nett, zugleich in Berlin zu sein und dann zugleich in Weimar zu sein, oder im schlimmen Fall arrangieren Sie es mit Ihrer Mutter und lassen Sie mich eine nette Zeile gleich in Dresden finden. (Europ. Hof) Ich freute mich so, und bin jetzt so im Stande, eine Freude zu genießen.

Ihr H.

Samstag abends, im Begriff abzureisen [Januar 1909]

Liebe gnädige Frau

vorgestern depeschierte mir Kessler aus Paris, er erwarte uns in Weimar erst am 5ten Februar, das heißt doch wohl in seinem Haus. Heute schicken Sie eine Depesche, worin er sagt, wir könnten nicht bei ihm wohnen. Das ist ein ziemliches qui pro quo.
Da Sie aber eventuell die Güte haben wollen, uns unterzubringen, so nehme ich als fix an, daß wir am 5ten oder 6ten Februar in Weimar erscheinen. Das andere wird man in Dresden (mit Kessler) und in Berlin (mit Ihnen) besprechen. Denn ich hoffe doch, daß man sich in Berlin sehen, allenfalls miteinander in ein Theater gehen wird. Oder ist das alles ganz ausgeschlossen?
Wir werden etwa den 29ten dort sein.

Ihr Hofmannsthal

[Dresden, Europäischer Hof] 26 [Januar 1909]

Liebe gnädige Frau

Vielen Dank für Ihre lieben guten 2 letzten Briefe. Wir kommen also den 5ten 6ten oder 7ten und wohnen bei Kessler. (Sein Gedanke uns nicht logieren zu können war auf falschen Voraussetzungen ruhend.) Der gestrige Abend war wunderschön. Es ist ein viel schöneres Werk als Salome. Wir sind von übermorgen an in Berlin, Schadowstraße 4 Pension Rinkel. Ich freue mich so sehr auf Sie.

Ihr Hofmannsthal

P. S. Ich weiß, daß mein Telegramm sehr häßlich war. Ich werde Ihnen einmal auf einem netten Spaziergang, allein, erzählen, welche Kleinigkeit an dem Ihren mich so bös gemacht hatte.

Weimar 6 Tiefurterallee, 20. Juli 09

Lieber Herr von Hofmannsthal
Wir denken daran, Mitte September über Wien nach Venedig auf 14 Tage zu gehen und wollen am Lido wohnen. Könnten wir nicht dort zusammen sein? Würde Ihnen die Zeit passen?
Ich wäre so gern grade in Venedig einmal mit Ihnen zusammen.

Ihre Helene Nostitz

Aussee Obertressen 14 [Ende Juli 1909]
Liebe gnädige Frau
es ist so gut und freundschaftlich von Ihnen und freut mich so sehr, daß Sie sich nicht darum bekümmern, daß ich Ihnen viele Monate nicht schrieb und mir nun wieder schreiben. Ich danke Ihnen so sehr. Es ist wirklich, wie Sie richtig gefühlt haben, der Äußerlichste aller Umstände, wenn ich in diesem Jahr mit dem Schreiben fast aufhörte, fast nie an irgendwelche ferne Freunde schrieb außer an solche, denen etwas Besonderes, meist etwas Trauriges, zugestoßen war.   Ich habe oft an Sie Beide gedacht, für mich gibt es, wie mein Leben sich gefügt hat, in einem gewissen Sinn

keine Anwesenden und keine Abwesenden, – ich freue mich aber so sehr, wenn ich Sie wieder haben werde, es wird keines Anknüpfens bedürfen, und ich werde Sie beide hier sehen, es wird sich freundlich fügen, ich fühle es voraus: Heute früh überlegte ich es, plötzlich fiels mir ein, wie schön wie leicht es gehen wird, ich ging gleich Ihre beiden Zimmer ansehen (sie sind im nächsten Bauernhaus, einen Steinwurf von hier, unseres ist zu winzig klein für Freunde, bei uns schläft in jeder Dachluke ein Mädchen, ein Kind oder sonst was) – ja es sind nette freundliche Zimmer, mit kleinen grünen Fenstern, ums ganze Haus herum läuft ein hölzerner Balcon, Apfelbäume sind davor und ein großer Nußbaum und eine der lieblichsten, reichsten vielfältigsten Landschaften, die es auf der Welt gibt, trotz Griechenland und Umbrien! Und nun hören Sie mir zu, schnell entschieden und leichtbeweglich, wie Sie auch – wie Sie eigentlich sind – russisch, nicht preußisch – und doch ist »preußisch« ein Ehrenname, es ist etwas Schönes, etwas Ehrfurchtgebietendes um eine preußische adlige Seele, ich fühle es jetzt tief, wo ich jeden Tag eine Stunde die Briefe Heinrichs von Kleist in der Hand habe – und fühlte es diesen Winter einmal tief als ich, im traurigsten Zusammenhang, mit drei adligen und tüchtigen, seelenvollen preußischen Frauen eine Stunde verbrachte – also hören Sie mir zu: nein, im September nach Venedig zu gehen, es ist fast unmöglich, es ist so gut als unmöglich. Denn ich werde mit meiner Comödie entweder nicht zu Ende sein, dann bringen mir manchmal die Tage von September zu October alles, was der Sommer mir versagt hat – oder ich werde zu Ende sein, aber daran ist kaum zu denken, dann müßte ich nach München, habs Reinhardt versprochen, es sind die letzten zwei Wochen seines Gastspiels dort, und ich sähe seine netten Schauspieler alle Abend spielen – das gibt mir viel; zu selten sogar hab ich das, da nun das Schreiben von Theaterstücken einmal mein métier. (habe übrigens eine Spieloper für Strauss geschrieben, die ich Ihnen hier lesen werde und die Ihnen Spaß machen wird.) – also ich kann nicht nach Venedig und ich bin auch im September nicht in Rodaun, weil die Kinder, der Haushalt und alles bis October hier bleiben. Darum bitte, fahren Sie über München und Aussee nach Venedig, ein ganz guter Weg, und verbringen auf dem Weg ein paar Tage hier mit uns. Sie fahren von Weimar nach München. Dann nach Salzburg. (2 Stunden Orientexpreß) Dorthin komme ich Ihnen vielleicht entgegen. Dann fahren wir durch ein Paradies an Gegend mit einer kleinen offenen Localbahn hierher. Hier ist es im September fast immer strahlend schön. Und nachher fahren Sie von hier über St. Michael nach Venedig, eine der großen Routen, alljährlich fahren Tausende von Leuten aus dem Salzkammergut an den Lido.

Ich hoffe, es paßt Ihnen beiden. Ich freue mich auf Ihre Antwort.

Ihr Hofmannsthal

Aussee 7. VIII. [1909]

Liebe gnädige Frau

es ist so schön und eine so große Freude daß Sie wirklich kommen wollen – wie schön wäre es wieder einmal gründlich miteinander zu plaudern – wie sehr würde ich mich freuen, Ihnen diese liebe Gegend, im weiteren Sinn doch meine Heimat, meine eigentliche Heimat, zu zeigen – aber nun – o weh! – muß ich den »Preußen« hervorkehren, den Mann der Einteilung!!

Es war immer nur von der ersten Hälfte September die Rede und im letzten Brief nun sprechen Sie von einer viel späteren Zeit – zu welcher Zeit ich aber schon im vorigen Brief sagte daß ich entweder in der tiefsten Arbeit sein würde – oder in München, sowohl um Reinhardts willen als um meines Vaters, der um diese Zeit Urlaub nimmt und dem ich etwas mehr Zerstreuung anbieten muß, den ich also nach München mitnehmen will.

Den Lido haben Sie also zwischen dem 1ten und 2ten Brief aufgegeben?

Dann bitte kommen Sie doch zuerst hierher, und machen den ganzen Ausflug nach München und hierher in der ersten Hälfte September und Trier auf dem Rückweg.

Nach dem 16ten September könnten wir uns eventuell in München treffen falls Sie eben nicht zwischen 8ten und 16ten auf paar Tage hierher kämen, was viel schöner wäre.

Falls mein Schwager, der in Deutschland reist, Sie besucht, so erwähnen Sie, bitte, diese Combinationen gar nicht, oder sehr vaguement, besonders was die Zeit betrifft, denn so glücklich ich sein werde Sie und Ihren Mann, mit dem zusammenzusein ich mich besonders freuen würde, hier zu sehen, so wenig bin ich für alle Welt hier »vorrätig« und zu »haben«.

Desgleichen wird es gut sein, wenn die Baronin Braun die hier wohnt, unten, in einer somptueusen Villa und gewiß würde haben wollen, daß Sie bei ihr wohnen – wodurch das wirkliche Zusammensein von uns sogleich in ein gesellschaftliches Nichts aufgelöst wäre, möglichst spät oder erst wenn Sie hier sind, davon erfährt.

Ihr Hofmannsthal.

Weimar, Tiefurter Allee 6   10. Aug. 09

Lieber Herr von Hofmannsthal,

Wir freuen uns auch so sehr auf dieses Zusammensein. Unsere Pläne hatten sich wegen des Trierer Congresses verschoben und auch wegen einiger anderer Gründe wollte mein Mann seinen leider nur sehr kurzen Urlaub nachher nehmen, also nach dem 23ten Sept. Ich wollte am 15ten allein nach München zu meinem Bruder gehen. Venedig wollten wir doch nicht aufgeben. Nun steht es so: Wir wollen um jeden Preis, wenn es auch mit Schwierigkeiten verbunden wäre, gemütlich mit Ihnen zusammen sein. Was würde Ihnen nun besser passen? Erstens dachten wir daran nach Venedig, im Oktober, nach Rodaun zu kommen, ungefähr am 6ten Okt.

Sollte das aber garnicht passen, so würden mein Mann und ich zwischen 10ten und 16ten September, wie Sie vorschlagen, nach Aussee kommen. Mein Mann müßte aber dann bis zu seinem Congreß nach Weimar zurückfahren (ich ginge dann nach München), was für ihn ja allerdings ein Opfer wäre – dieses hin und her –, was er Ihnen aber gern bringt, falls es nicht anders geht. Nur in München zusammen zu sein finden wir schade, denn das wäre wieder ein Zusammensein wie die ganz letzten wo es nichts rechtes war. München als surplus von Wien oder Aussee wäre ja reizend, und ich freue mich auf das Sehen der Theaterstücke zusammen. Ich sage niemandem etwas von Aussee, auch Sonny Braun nicht. Ihr Schwager kommt nächstens hierher. Hoffentlich wird alles gehn. Aber an dem wirklichen Zusammenkommen halten wir fest, nicht wahr?

Ihre Helene Nostitz

[Rodaun] 16ten August [1909]
Liebe gnädige Frau
heute ist nach trüben Regentagen wieder der erste schöne, so daß man mit Freiheit und Lust etwas überlegen kann.
Ich antworte nun ganz freimütig: es freut mich von ganzem Herzen daß Ihnen beiden daran liegt, daß wir wieder ruhig und ausgiebig zusammenseien, aber es muß zwischen dem was man erkauft und dem was man dafür bekommt, ein gewisses Verhältnis sein, sonst rächt sich das Unnatürliche und die Freude bleibt aus. Daß für ein Zusammensein von 2 Tagen Ihr Mann das Opfer bringt von Weimar über München hierher zu fahren d. h. 12 Stunden Schnellzug Weimar-München und noch einen ganzen Reisetag München-Salzburg-Aussee, das ist undenkbar. Das kann man für eine entscheidende Unterredung tun, für eine Geliebte, für ein Duell, eine Erbschaft oder dergleichen, nicht aber für ein freundschaftliches Zusammensein. Und wie wenn es in diesem

elenden Sommer dann die 48 Stunden verregnete, und man in dumpfen kleinen Zimmern beisammensitzend nicht einmal die geringste Freude hätte? Und nun das andere: wie sich der Beginn des eigentlichen productiven Zustands bei mir immer mehr gegen den Herbst hinauszuschieben scheint, und da ich überdies Rodaun im Spätherbst nicht so gern mag, so ist mehr als wahrscheinlich daß wir weder den 6ten noch auch nur den 10ten October schon zuhaus sind. Damit fällt die andere Möglichkeit fort.

So mache ich zweierlei Vorschlag: entweder Sie ließen den Lido und machten München Salzburg Aussee zum Schauplatz des 14-tägigen Urlaubs und man sähe sich hier vor dem 20ten, dann führe man nach München (er von dort nach Trier was ich mir nicht mit vorstelle) und käme wieder nach München zurück. (Mit einem Auto etwa, dergleichen man wohl auch in München für ein paar Tage mieten könnte zieht man aus kurzen Tagen viel inhaltsreiche Freude) – oder man rechnete damit daß ich zu Winters Anfang ja bestimmt für ein paar Tage zu ihnen kommen will und träfe sich en surplus in München nach dem 24ten, ohne von diesem Zusammentreffen die g a n z e Gemütlichkeit zu erwarten. –

Vielleicht überlegen Sie aufs neue. Mit mir ist es so: ich möchte bis zum (18ten oder) 20ten hier und nach dem 1ten X. wieder hier oder anderswo der Arbeit existieren, die Zwischenzeit ist Papas wegen (der aber gar nichts stört, gar nichts encombriert. der leichteste und angenehmste Mensch von der Welt ist) für München bestimmt. Eine letzte gewiß frivole Frage: muß denn der Congreß sein? (vielleicht ist es dienstlich!!)

Von Herzen   Ihr H.

Aussee 12. IX. [1909]

Liebe gnädige Frau

das Leben geht manchmal ein bischen dumm. Während ich mich bloß darüber freuen möchte, daß ich Sie sehen werde – und vielleicht in einer viel ausgiebigern Form, viel gemütlicher, als es

mir in diesem Augenblick möglich erscheint – muß ich mir eingestehen daß ich über Ihren Brief ganz consterniert bin. Nicht
wahr, Sie mißverstehen mich in diesen Dingen niemals – Sie wissen, und wissen immer, daß Sie zu den ganz wenigen Menschen
auf der Welt gehören, die wiederzusehen ich mir wünsche, die
zu entbehren mir traurig wäre, nicht wahr!

Zunächst: ich komme nicht den 20ten nach München sondern erst
den 23ten. Denn ich komme nun nicht mehr um Reinhardt dort
zu sehen, der schon heute nicht mehr dort ist, auch nicht um
seiner Truppe willen, die nur bis zum 20ten dort spielt – dies alles
hat sich indessen verschoben, indessen ließen Sie mich aber so
lange ohne Nachricht, daß ich annahm Sie hätten ganz andere neue
Pläne gefaßt, und ich kann nicht in der für mich heikelsten Zeit
des ganzen Jahres, wo meine ganze Production für mehr als ein
Jahr auf dem Spiel steht, unaufhörlich Briefe concipieren und
Combinationen im Kopf festhalten und verändern – also ich
komme nicht um Reinhardt zu sehen, sondern komme nunmehr
ausschließlich meines Vaters willen, dem ich diesen Ausflug zu
seiner Zerstreuung vor Monaten vorgeschlagen habe und weil ich
an solchen Dingen absolut festhalte, wenn es irgend geht – und nur
darum unterbreche ich jetzt meine Arbeit. Ich muß mich also
principiell meinem Vater ganz widmen, in Bezug auf Tagesein-
teilung, Mahlzeiten, Ausflüge, verbringen der Abende etc. Nun
wird Papa natürlich Sie sehr charmant finden und er wird Ihnen
sicher auch gut gefallen, aber Sie verstehen ohne Worte daß es für
mich z.B. sehr anstrengend wäre (alles insbesondere jetzt wo die
Nerven durch das unsichere Stadium der Arbeit ziemlich her-
genommen sind) z.B. bei Tisch jedesmal die doppelte Conversation zu führen die sich naturgemäß ergibt, wenn zu einem a ein
b und ein c durch ganz verschiedene Beziehungen dazugehören,
während b und c unter sich ohne eigentliche Beziehung sind. Ob
Gerty mitkommt, ist nämlich zweifelhaft, weil Christiane Keuch-
husten hat, doch kommt sie wahrscheinlich mit. Wie viel Worte!

dummer Kopf! Südwind! Dabei will ich ja gar nicht, daß Sie nicht nach München kommen sollten! Nur dachte ich halt immer, Sie kämen beide, das wäre halt ganz eine andere Situation gewesen. Reist denn Ihr Bruder am 19ten ab, so daß Sie ihn dann gar nicht mehr sehen können? Und mögen Sie denn die Velics' nicht, so daß Sie ihnen ganz aus dem Weg gehen wollen?

Ach, dummes Zeug alles, es wird alles sehr nett werden, wett ich! Nur das wegen Papa mußte ich ja sagen. Es wäre ja so lustig, zu wissen, daß Sie allein in München sind, wenn ich auch allein und frei wäre – und mit ein bissl freiem Kopf! Also bitte schreiben Sie mir noch paar nette gute Zeilen aus München. Wir wohnen vom 23ten an, Hotel Marienbad. Das ist ganz nahe am Karolinenplatz. Machen Sie alles was Sie Lust haben ohne sich an diesen Südwind-Brief zu kehren. Werde ich Alfred gar nicht sehen?

Herzlich   Ihr Hofmannsthal

[München Karolinenplatz 5]   16. Sept. 09

Lieber Herr von Hofmannsthal,

Vielen Dank für Ihren Brief, den ich vollkommen verstanden habe, und die Mühsale, die wir manchmal jetzt durchmachen, sollen unsere Freundschaft nie stören. Das Wichtigste ist aber Ihre Arbeit und ich will auch keine neuen Combinationen anbahnen sondern einfach so sagen: Die Velics sind doch nicht hier. Ich werde, da mich mein Bruder nicht länger haben kann, am 20ten dann auf eine Rheininsel zu Bekannten fahren und dort meinen Mann treffen. Auf dem Rückweg von dort und auf dem Wege nach Venedig werden wir dann einen Tag vorher telegraphisch fragen, ob wir Sie in München oder Aussee 1 Tag sehen können und Sie antworten dann ein kurzes »ja« oder »nein«.

Also hoffentlich auf wiedersehen   Ihre Helene Nostitz

Wir freuen uns so auf Ihren Besuch im Winter in Weimar.

Liebe gnädige Frau
bin sehr dankbar und glücklich über Lösung, die mir nun doch
die bestimmte Hoffnung gibt Sie beide wenigstens einen Tag zu
sehen. Hoffentlich depeschieren Sie nicht im allerletzten Augenblick. Dann werde ich es einrichten können, den ganzen Tag mit
Ihnen zu sein, was ich mir sehr wünsche. Briefe treffen mich im
Hotel Marienbad 23 ix. – 1. x.

Ihr Hofmannsthal.

[München, Hotel Marienbad, Ende September 1909]

Liebe gnädige Frau
Guten Tag. Ich freue mich. (Wir freuen uns.) Es sind etwas viel
Bekannte im Haus: Tschudi, Heymel und Frau, Adine Eulenburg,
Gisela Hess, Siegfried Wagner etc, etc. Nun, wir werden sie schon
loswerden. Hoffentlich ist morgen Sonne! Wie schön wäre das.
Gehen wir dann vormittag in dem schönen englischen Garten
spazieren, ja? und frühstücken wir zusammen (und mit meinem
Vater) um 1^h hier im Haus wo es ganz angenehm ist? Wir sind um
½10 oder so zum ersten Frühstück unten. Jetzt gehen wir in die
Oper.   Also guten Tag. Alles Herzliche an Ihren Mann.

Ihr H.

[Venedig, Hotel de l'Europe, Oktober 1909]

Ich muß Ihnen grade einige Worte des Dankes von dem Giardino
Eden zurückkommend sagen. Es war dort wunderbar heute
abend so voll Blumen und Stille, und das Meer hinter den Zy-
pressen. Und gleich steigt daneben auch der Tintoretto vor mir
auf, wie die Bilder gleichsam hier alle aus der Landschaft, den

Wassern heraus vor uns aufsteigen. Diese eine Frau, die riesenhafte, die bis zu den Wolken steigt mit dem Kind auf dem Arm, werde ich nie vergessen.

Fortuny ist uns beiden sehr sympathisch, so wie ein hülfloses Kind in den Bewegungen, aber kräftig und warm. Er hatte so wunderbare Farben auf seinem Boden in dem Palazzo. Ich werde wohl ein Kleid nehmen. Wir denken jetzt doch an Dalmatien, obwohl es mir auch wieder fast leid tut, Venedig zu verlassen.

Ich bin müde und muß aufhören.

Ihre Helene Nostitz

Semmering, 26. XI. [1909]

Liebe gnädige Frau

ich bat meine Frau, für sie Ihren Brief beantworten zu dürfen. Es war ein ganz elendes Betragen von mir, so viele Wochen keine Nachricht zu geben. Aber ich kann nicht anders existieren, meine Beziehungen zu den Menschen, so lieb sie mir sind, müssen intermittierend sein. Ich bin noch immer in der Arbeit, wenn auch dem Ende nahe – (glaub ich, hoff ich.) Ich hoffe im Jänner nach Weimar zu kommen – das schwebt mir jetzt als das wahrscheinlichste vor. Allerdings wird dann Kessler dort sein. Man wird trachten, es nett einzuteilen.

Wegen des vereinsamten Vetters bitten wir sehr um Entschuldigung. Wir sind die ungeeignetsten Menschen in ganz Wien, ihm behilflich zu sein. Meine Schwiegermutter ist eine herzensgute Frau, aber namenlos unruhig, immer mit einem Fuß in Paris oder sonst wo, und ihr Haus kann man eher ein pied à terre nennen, oder allenfalls eine Telephonstation aber wahrhaftig nicht einen Salon! Aber auch sonst sehen wir immer nur einzelne Menschen. Leute, die einen »Salon« haben wie Pauline Metternich, Lanckoronski gehören zu denen, denen ich in weitem Bogen ausweiche. Salons im genre Richter gibt es in Wien durchaus nicht. Überhaupt ist in Wien alles anders, unsere Existenz ganz besonders und wir können dem Vetter durchaus nicht helfen.

Herzlich   Ihr Hofmannsthal

Weimar Tiefurter Allee 6   11. Dez. 09.

Lieber Herr von Hofmannsthal,

Es war eine Freude von Ihnen zu hören. Sie wissen, daß ich Ihre Pausen immer verstehe, wenn mir auch etwas fehlt, wenn zu lange ein Lebenszeichen ausgeblieben ist. Sie und Rodin, die beide das Entscheidende in meinem Leben mitgestaltet haben in einer ganz besonderen Weise, abgesehen von dem Leidenschaftlichen, von Ihnen beiden muß ich ab und zu hören, so wie man eine Landschaft manchmal wiedersehen muß, die voller Erinnerungen auch gegenwärtig neue Kraft und Schönheit ausstrahlt. Oft lese ich jetzt mit sehr großem Genuß im II. Band Ihrer Prosaschriften und lese Dinge immer wieder, wie z. B. diese Schlußseite über Peter Altenberg, wo Sie vom Kindlichen sprechen.

Ich höre, daß Sie in Berlin sind. Vielleicht denken Sie daran, 1 Tag hier durchzukommen und bei uns zu wohnen, das wäre schön.

Ihre Helene Nostitz

[Postkarte]   Rodaun 17. I. [1910]

Ich kann gar nichts planen, weil bis heute der Tag meiner Première sich nicht fixieren läßt, obwohl erste Proben schon begonnen haben. Ich glaube, es wird 8–12ten Februar werden und hoffe dann, etwa 16ten oder 17ten Februar für paar Tage nach Weimar zu kommen.

Ihr Hofmannsthal

[Hotel Adlon, Berlin, 31. Januar 1910]
Montag nachts.

Ihre Mutter hat mich bei Richters in einer sehr lieben und gütigen
Weise bei Seite genommen und mir erzählt was sich in Weimar
ereignet hat. – Das Unbegreifliche umspielt uns in zahllosen Gestalten, bald furchtbar, bald reizend – wir aber sind ans Begreif-
liche gewiesen, und sollen uns daran halten.

Ich wünsche mir sehr, daß Sie beide zum elften da sind und
meine Comödie sehen und hoffentlich Freude daran haben. Ich
hoffe, es kommt so. Vielleicht sagen Sie auch den paar anderen
befreundeten Weimaranern den Tag.
Ich grüße Sie beide sehr herzlich   Ihr Hofmannsthal

Weimar, den 23. II. 10

Liebe gnädige Frau, heute abend können wir leider nicht; wir
hoffen aber so sehr, Sie heute um 5 bei Frau van de Velde zu
sehen, und Sonnabend um ½8 oder 8 hier.
Mit den besten Grüßen
                                  Ihr sehr untertäniger Kessler.

Ferner haben wir uns ausgedacht Sonntag bei Ihnen alle 3 zu frühstücken weil das Alfreds freier Tag ist. Paßt das? Freue mich so
sehr auf Sie beide.
                                            Ihr Hofmannsthal.

[Trafoihotel an der Stilfser Jochstraße] 28. [Juli 1910]

Liebe gnädige Frau
Dies will kein Brief sein, sondern nur ein Gruß. Wir fahren mit
alten Bekannten Auto – sind gestern, von Konstanz, hier herge-
kommen, hier ist das rauhe böse Engadin nahe und macht, daß

ich noch lebhafter an Sie und Alfred denke, und wenn man so stundenlang hinfährt und in die wechselnde Landschaft hineinsieht, so kann man an ferne Freunde mit aller Kraft denken, aber wenn man dann stillhält, jeden Abend woanders, so ist man nie gesammelt genug, um das in einem Brief zusammenzubringen, was man gedacht, erinnert und gewünscht hat. Mögen Ihnen die ersten und alle folgenden Zeiten in Auerbach gut und reich und freundlich sein – wie oft hab ich es erlebt, daß der ungewünschteste Aufenthalt schließlich der beste und geliebteste wurde: man trägt alle kostbaren Elemente einer Landschaft in sich, und wenn man nicht in sich erstarrt, so wird alles gut.

Daß Sie Weimar so lieb haben gewinnen können, ist ja ein Gewinn – wenn Sie es auch im Augenblick des Scheidens als Schmerz empfinden müssen und so haben Sie in den letzten Jahren beide vieles gewonnen, hinzugenommen zu früherem Besitz. Ich freue mich, einmal hinzukommen – wann wird es sein? – bei mir ist Arbeit und Stockung gleich dem Lauf der Gebirge und Pässe, wodurch die Wässer sich scheiden und die Menschen verbunden oder getrennt sind.   Morgen fahren wir für ein paar kurze Tage nach dem Rand von Italien hinab, der lieblichen Landschaft zwischen Bergamo und Brescia, – das freut mich so sehr, das ist wie in eine Traumheimat zurückzugehen. –   Den August und weiter sind wir dann in Aussee (Obertressen 14). Wenn es Ihnen nicht schwer fällt, schreiben Sie bitte einmal.

Ihr H.

Königsvilla, Bad Elster, 5. Aug. 1910.

Lieber Herr von Hofmannsthal.
Ihr Gruß konnte in keinem besseren Augenblick kommen und mir mehr Freude machen als grade jetzt wo ich ganz allein mit dem Baby und Wizzy eine Kur bei fortwährendem Regenwetter

brauche. Aber es ist besser wie der Engadin. Ich habe auch ein kleines Wohnzimmer wo ich abends mich unter meine Bücher flüchten kann und den Curort vergessen. Zum ersten Mal lese ich jetzt Dostojewski. Wie groß und kräftig ist er. Es kommt mir immer vor, als faßte er die Menschen mit einer Riesenhand und entkleidete sie mit einer prachtvollen Geste von allen ihren Äußerlichkeiten, dann läßt er sie reden, und dies alles ohne Mystik, so klar und gemeißelt und doch auch wieder so nuanciert. –

Wir hätten Sie so gern bei unserem letzten Gartenfest in Weimar gehabt, wo Tänzerinnen einen Fackelzug aufführten, der wirklich prachtvoll wirkte. Man könnte das ja ins Unendliche vergrößern und Hunderte von Tänzerinnen in einem großen Park auftreten lassen, aber so waren die einzelnen in der tiefen Nacht gegen den großen Himmel die Fackeln erhebend ergreifend schön. Ja, diese zwei Jahre in Weimar sind ein großer Gewinn. Ihnen möchte ich es nochmals sagen, da wir das Hingehen doch mit Ihnen verdanken.

Ich fühle, daß ich Menschen, Dinge, Tiefen dort gewonnen habe, die ich nie verlieren werde. Das läßt das Herbe des Abschiedes nicht so aufkommen. So geh ich denn mit gutem Mut nach Auerbach und trete jetzt innerlich manchmal in Verkehr mit diesem Ort. Wieder brauchen wir die Freunde, um ihn zu erwärmen und zu beleben.

Ihre Helene Nostitz

[Schloß Neubeuern am Inn, Oberbayern]
6. x. [1910]

Liebe gnädige Frau

das Jahr schloß sich zu einem Kreis- wir waren wieder in München – wieder standen die bunten Buden mit den furchtbaren elektrisch betriebenen Lärminstrumenten auf der Wiese – und wieder sitze ich in einem Turmzimmer dieses schönen Schlosses hoch über dem leuchtenden Band des Inn, in dem gleichen stillen Turmzimmer, an dem gleichen Schreibtisch wie vor einem Jahr und tauche meine Feder in das gleiche Empireschreibzeug, dessen Tintenfaß eine Urne ist, der zwei vergoldete Sphinxen mit unsäglich albernen Gesichtern und einem erstarrten Lächeln den Rücken kehren: da schrieb ich den zweiten Act der Cristina, und Sie waren dort wo auch meine Figuren waren: in Venedig – und nun sind Sie in Auerbach und meine Figuren, die neuen, die langsam langsam sich mit Leben füllen sollen, versagen sich der Phantasie ein wenig – oder vielleicht zieren sie sich nur.

Und Sie sind in Auerbach. – In Aussee hatte ich einen Band Balzac mit und las zum ersten Mal Le Lys dans la vallée, und zum zweiten oder dritten Mal Le cabinet des antiques. Das Schicksal der Madame de Mortsauf und die Weise, wie sie es trägt – dies ist alles an der Grenze des Wahrscheinlichen, des Möglichen – im Detail, in der Nuance ist die Grenze vielleicht manchmal überschritten, aber welche innere Wahrheit hat dies alles, welche Kraft aus der Seele und über die Seele. Erinnern Sie sich des Anfangs? Der Jugend dieses Vandenesse? seines Hinkommens nach dem Schloß wo sie mit ihrem halbwahnsinnigen Gatten lebt? einer unübertrefflichen (bei jedem anderen Autor wäre sie unerträglich und unverzeihlich) mehrere Seiten bedeckenden Schilderung der Tourraine? Diese Schilderung könnte überflüssig scheinen, ein eingelegtes Paradestück – und doch, in der Erinnerung nimmt sie eine unbestreitbare Wichtigkeit und Notwendigkeit an. Dies finstere Schicksal geht dem Herzen um so viel näher als es sich in dieser lieblichen Landschaft vollzieht. Es gehen Fäden heraus und herein zwischen unserem Herzen und der Landschaft um uns. Wie sehr möchte ich wünschen daß die Ihrige Ihnen freundlich wäre. Daß Sie schon ein Zutrauen zu manchen Wegen, manchen Anblicken gewonnen hätten. Fast hoffe ich es, denn es sind Wälder dort und, wie ich meine, auch Hügel. Damit läßt sich leben, glaube ich. Eine endlose Ebene, eine enge Kluft wäre vielleicht für Menschen unserer Art kaum zu ertragen. Aber an ein waldiges Hügelland kann man mit tastenden Fasern sich anwachsen und vielleicht sich einwachsen.

Gerne wüßte ich, wie das Haus ist. Aber wie immer es ist, mit dem Zimmer des Kindes, mit dem Bücherzimmer, mit Ihren Möbeln Ihren Bildern kann es nicht unheimlich sein. – Bei den Möbeln fällt's mir schwer aufs Herz: die neue bittere Enttäuschung für van de Velde. Van Rysselberghe ist hier im Schloß und malt Mädi Bodenhausen mit ihren Kindern – und erhielt diesen Morgen aus Paris einen Brief, daß nun wieder alles zu Wasser geworden mit dem neuen Theater, – wiederum alles bis zur Entscheidung gediehen, Pläne gesandt, eine halbe erbitterte Starrniß von neuer Hoffnung erreicht – und wieder im gespanntesten Augenblick alles zunichte! Das ist bitter. Ich kann Ihnen kaum sagen, wie es mir nahe geht. – In München machte mir jemand eine Andeutung – oder weniger als Andeutung, nur vage Vermutung, ganz vage vielleicht irrtümliche Besorgnis, als ob die Ehe der van de Veldes und insbesondere das Glück von Maria v. d. V. durch irgendwelche Umstände bedroht wäre – dies ist hoffentlich nicht wahr. Ich habe diese Frau so ungemein gern – und darüber hinaus, – wenn Ehen dieser Art, so gegründet auf wahrhaftige Harmonie der Charaktere, so erprobt in langen Jahren – wenn diese Ehen irgendeinem Zufall, einer Begegnung erliegen sollen – ich kann kaum sagen wie mich der bloße Gedanke angreift.

Daß die Gruppe meiner zunächst entstehenden Comödien die Idee der Ehe entwickeln oder um diese Idee sich herumbewegen soll, dabei bleibt es. Zwei Stoffe sind mir nahe. Erst glaubte ich, der eine werde sich fangen lassen. Dann der andere. Jetzt will ich mich daran halten, freilich ohne inneren Zwang ohne Quälerei, aber diese Monate des Herbstes und beginnenden Winters sind meine

Erntezeit, wenn überhaupt. Darum bin ich auch froh daß die Première des Rosencavalier sich anscheinend (ich bin nicht anders als durch die Zeitung unterrichtet) auf den December oder Jänner hinauszieht. So habe ich meine Zeit, den Winteranfang ruhig vor mir. Und so werde ich erst später nach Auerbach kommen – oder sehen wir uns etwa zuvor in Dresden? (das Datum erfahren Sie von Seebach leichter als von mir.)

Sie schreiben mir bald nach Rodaun, nicht wahr? Auch ein Wort über diese Sache, die ménage v. d. V. betreffend. – Nun ist mir, als hätte ich erst angefangen, mit Ihnen zu plaudern. Mit Rilke dachten wir so lebhaft an Sie, neulich in München. Auch mit Reinhardt, mit dem braven vortrefflichen Gersdorff. Es ist etwas Schönes um einen solchen Kreis von Menschen, der Wärme und Mitfreude durch das ganze große Deutschland leitet.

Alles Liebe von meiner Frau Ihnen beiden

In Herzlichkeit   Ihr Hofmannsthal

Auerbach i. Vogtland 20. d. M. [Oktober] 10

Lieber Herr von Hofmannsthal

Ja dieser Zusammenhang mit der Landschaft ist etwas unendlich Wichtiges. Aus ihr schöpft man wirklich täglich neue Kraft und Freudigkeit, und ich finde ihn auch hier, wenn auch nicht in dem Maße wie in Weimar. Weimar hat mich vielleicht diesen Zusammenhang noch mehr gelehrt, obwohl ich immer danach suchte. Ich erinnere mich, wie ich früher in Berlin gegen abend oft auf eine gewisse Brücke, die Moltkebrücke, die auf den Kanal und die Apfelkähne sah, ging, und dort etwas erhielt, was mich wieder fröhlich machte. Ich glaube, man nennt es Zusammenhang mit der Natur; daß sie mir aber wirklich so viel bedeutet, so gar keine Leere aufkommen läßt, erfahre ich vielleicht ganz erst hier. Und neulich in der Dresdener Galerie hatten auch die Bilder – die Venusse in der Landschaft – eine neue und tiefere Bedeutung für mich. Der Abschied von Weimar bleibt aber ein lebendiges Fehlen. Ich möchte nicht Schmerz sagen, weil es so fürchterliche Dinge gibt und dieser Abschied nicht dazu zu rechnen ist.

Mein Mann ist sehr glücklich in seiner Tätigkeit und wir haben viele Pläne. Sogar haben wir die vage aber leider noch sehr vage Hoffnung, ein kleines van de Velde Theater hier zu bauen, damit endlich eins von ihm, wenn auch klein da steht. Aber er soll nichts davon erfahren, bis alles ganz fest steht. Diese neue Enttäuschung hat uns auch sehr schmerzlich berührt. Er wird sehr leiden. Ich ahnte es schon, da er immer noch keine Nachricht darüber gab. Von dem, was Sie über ihn und Marie van de Velde sagen, weiß ich nichts. Ich weiß aber, daß öfters von Menschen – oder manchmal – etwas Ähnliches gesagt wurde und wir dann immer widersprachen. Nächstens gehe ich vielleicht einige Tage nach Weimar und werde Ihnen dann noch einige Worte darüber schreiben. Sie fragen, wie unser Haus ist. Eine nette kleine Halle gibt ihm etwas Heiteres und in einem Zimmer habe ich 2 Klaviere aufstellen können und habe auch jemanden zum Spiel gefunden. Ich habe sogar in einem Konzert neulich hier gespielt für Wohltätigkeit. Es war sehr peinlich, bis ich das Publikum vergaß. Unser Haus liegt etwas abseits und so merken wir nicht die Atmosphäre der kleinen Stadt, es bleibt Land, und wir freuen uns so auf Ihr Kommen und auf die Fahrten durch die sehr großen Wiesen, die so heiter und weit sind. – Vielleicht wird schon Schnee liegen, das wird aber auch schön sein.

Wenn irgend möglich werden wir in Dresden sein. Neulich gab uns dort die Dalcroze-Schule einen sehr starken Eindruck. Es bewegte so tief, die Urkraft des Menschen benutzt zu sehn, die schlummernde.

Wir möchten Sie um Rat wegen Rysselberghe fragen. Würden Sie uns raten, ein Bild von Oswalt und mir von ihm machen zu lassen? Wissen Sie seine Preise und ob er überhaupt eine Zeit lang in unser Gebirgsdorf kommen würde?

Ich habe jetzt auch »Le Cabinet des Antiques« angefangen, denn schon erwachte wieder meine Sehnsucht nach Balzac, den ich jetzt länger für Dostojewski verlassen hatte. Aber man kann Dostojewski nur eine Zeit lang lesen und dann wieder, man kann nicht so mit ihm leben wie mit Balzac.

Mein Mann grüßt Sie sehr   Ihre Helene Nostitz

P. S. Haben Sie von Ruth St. Denis etwas wieder gehört? Ihr Bild steht gerade vor mir. –

Ihr Brief gab mir eine sehr große Freude: Das ist es auch, was einem die einsameren Orte auch ohne die Gegenwart belebt, das starke Gefühl dieser Zusammenhänge, die vielen stillen Gespräche, die man führt in gewissen Augenblicken.

Berlin W Sigismundstraße 6
[Spätherbst 1910]

Lieber Herr von Hofmannsthal,

Ich war einige Tage in Weimar und stand vor unserem lieben Haus, wo schon die Gräser hoch wucherten.

Van de Veldes Home schien mir unverändert, so daß man keine Befürchtungen zu haben braucht, auch hörte ich nichts, was darauf hindeuten könnte, wovon Sie schrieben. Auch mit dem Pariser Theater scheint noch nicht alles endgültig bestimmt und etwas Hoffnung noch zu sein. Morgen werde ich hier [ein Wort unleserlich] endlich die Wiesenthals sehn.

Nur in Eile diese paar Worte   Ihre Helene Nostitz

[Südbahn-Hotel Semmering] 13. Dezember [1910]

Nein, liebe gnädige Frau, ich wußte nichts von dieser glücklichen Wendung, die mich wirklich mehr erfreut als ich sagen kann;

erfuhr sie erst durch Ihre Zeilen und hatte so die doppelte Freude, durch diesen Ihren lieben zarten Gedanken mich Ihnen verbunden zu fühlen.

Nun scheint allmählich festzustehen, wann die Dresdener Première des »Rosencavalier« sein soll: am 25ten Januar. Ich glaube daß man mich 8–10 Tage früher zu den Proben hinrufen wird und habe den stillen Gedanken, mich von dort zu drücken, ohne daß jemand es bemerkt, und für 2 Tage nach Auerbach zu fahren. Ist es sehr weit von Dresden? Freilich ist das nur so eine vage Hoffnung. Nachher, d. h. die letzten Tage Januar hoffe ich für einen séjour von 14 Tagen nach Berlin zu können. Das ist ja die Zeit, wo Sie gewöhnlich auch in der Sigismundstraße zu finden sind, wo die Einteilungen schwer, aber die Begegnungen doch sehr nett sind und wo man einige liebe und viele ganz nette Menschen wiedersieht.

In München, im October, stieß ich sehr zufällig in Tschudis Cabinet mit dem Vater von M. S. zusammen, der mir wenig sympathisch schien und zuerst so tat, als hätte er meinen Namen nie gehört, dann wieder so tat, als hätte er mich für einen a n d e r e n H. als den e i g e n t l i c h e n gehalten, welche diplomatischen Manöver Tschudi so erheiterten, daß er sich abwenden mußte, um nicht laut zu lachen. Das Mädchen hat also noch niemanden geheiratet; der Franckenstein auch nicht, die ganze Geschichte sollte mich nichts angehen, ärgert mich aber mehr als ich sagen kann, sooft ich daran denke, weil sie aus meinem Kopf entsprungen war (und aus einer sicherlich richtigen Intuition über die 2 Menschen) und in der dummen Regie der Wirklichkeit so kläglich ausgegangen ist. –

Herzlich   Ihr Hofmannsthal.

Lieber Herr von Hofmannsthal,
Es wäre eine große Freude, wenn Sie hierher kämen, und ich weiß,
Sie würden es gern mögen. Ich bin ganz ungeduldig, es den uns
Nahestehenden zu zeigen. Sie fahren nur 3 Stunden von Dresden,
durchgehender Wagen, und wir holen Sie dann in R e i c h e n -
b a c h mit dem Wagen oder Automobil ab und fahren vorsichtig.
Zur Premiere komme ich bestimmt und Alfred, wenn er irgend
kann. Die Klemperers haben uns in ihre Loge eingeladen. Ich
würde mich dann einrichten, nach dem Rosencavalier auch nach
Berlin zu kommen. Wie leicht all diese Pläne vor sich gehn.
Ich bin beeindruckt von Hauptmanns Emmanuel Quint. Le Cabinet des Antiques hat mir viel Freude gemacht. Die Gestalt des
alten Advokaten, der alles hingibt, ist wunderbar und dieses
ganze débacle in Paris mit den wenigen Strichen, die Frau des
alten Seigneurs.
Hoffentlich auf baldiges Wiedersehen.   Ihre Helene Nostitz

[Telegramm]   [Erfurt, 14. Januar 1911]

Bin Reichenbach heute drei Uhr vierunddreißig freut mich
                                                Hofmannsthal

                    [Hotel Adlon, Berlin] 21. 1. [1911]
                    (bin heut abends wieder Dresden Europe)
Liebe gnädige Frau
Also am 25ten ist unser nettes kleines souper, das ist gut, denn am
24ten wäre ich nicht frei gewesen wegen Probe. Also Sie holen
mich um 8¼ ab?
Ich werde bei Vitzthums Karten lassen.
Herzlich   Ihr Hofmannsthal

Bitte dringend sagen Sie doch telephonisch Souper Klemperer ab
und soupieren nach Premiere mit mir Kessler Richters Lichnowsky
Giulietta gehen eventuell nachher zu Klemperer habe Vitzthum
Karten gelassen würde gern mit Ihnen hingehen
Viele Grüße   Hofmannsthal

[Berlin, Hotel Adlon, Anfang 1911]

Liebe gnädige Frau
ich wollte Ihnen doch nur sagen, daß ich das Unharmonische des
letzten Abends gar nicht mehr im Gedächtnis trage, sondern nur
die netten Abende vorher, den sehr netten vor dem Ball bei
Vitzthums, dann den Tanzabend, die Momente mit dem Russen,
dem Zwerg und anderes.

Feundschaftlich   Ihr Hofmannsthal

[Berlin, Sigismundstraße 6, Februar 1911]

Lieber Herr von Hofmannsthal,
Guten Tag – Könnten Sie zum Tee um 5 Uhr morgen sonst vielleicht heute kommen? Freue mich so aufs Wiedersehen.
                                                Ihre Helene Nostitz

Vielleicht lassen Sie telefonisch antworten (Unsere Telefonnum-
mer ist Amt 612002), wenn Sie nicht jetzt zu Hause sind. In Eile
                                                        H. N.

[Berlin, Sigismundstraße 6, Februar 1911]

Lieber Herr von Hofmannsthal,
Ich schicke Ihnen diesen Brief meines Bruders und bitte Sie, mir
nur mit einem kurzen »ja« oder »nein« zu antworten. Die Con-

fusion besteht darin (dieser Zustand scheint jetzt wieder zwischen uns geworden zu sein, über Confusionen zu verhandeln), daß mein Bruder dachte, ich hätte Sie abermals um Benutzung dieses Brief-Auszugs gebeten, was ich nicht getan hatte, da Sie damals ganz ruhig sich halten wollten. Nun wurde es mir aber doch unheimlich und ich schrieb noch einmal an meinen Bruder, worauf diese Antwort kam. Sollte Ihnen aber dieser Satz nicht recht sein, so denken Sie bitte ja nicht an eine Umarbeitung, denn Sie dürfen sich ja nicht ermüden. Mein Bruder kann es dann lieber ganz lassen.

Hoffentlich aufwiedersehen morgen.   Ihre Helene Nostitz

Rodaun, 29. III. 1911.

Liebe gnädige Frau

Umstände heißen mich einen Bettelbrief an Sie schreiben. – Aber ich muß ja nicht gleich damit anfangen, sondern darf doch wohl zuerst ein bischen mit Ihnen reden. Den einen Wintertag in Auerbach habe ich in so guter Erinnerung, für den, der zu Hause ist, scheint ein solcher Besuch kurz, für den aber, der vorüberkommt, ist er inhaltsreich, denn er sieht gleichsam in die ganze Existenz des anderen hinein, so wie man durch einen kleinen Spalt, wenn man sein Auge nahe daran bringt, einen ganzen großen Garten übersehen kann. Dann war Dresden sehr nett und freundlich, ganz besonders der eine erste Abend. Aber auch die anderen Male, mitgerechnet die kleinen Trübungen, die bei mir wenigstens, die Erinnerung gar nicht afficieren. Ob wohl der Russe schon bei Ihnen in Auerbach war?

Den Berliner Begegnungen mit allen Menschen fehlt es an Ruhe und Consequenz. Fast habe ich dann lieber, wenn ich einen Menschen nur einmal sehe, wie den alten Dilthey. Mit ganz wenigen stellt sich das Gefühl der Continuität ein: mit Frau Richter, vielleicht durch die besonders große Zuneigung die ich für sie habe, mit Gustav durch sein wirklich charmantes Wesen, das immer gleich eine volle Gegenwart schafft – mit Reinhardt, durch die Gemeinsamkeit der künstlerischen Interessen. Aber auch darüber hinaus ist mir Reinhardt ein Mensch, der mich sehr viel beschäftigt, meine Phantasie anzieht und immer wieder anzieht.

M. L. ist doch eine zu sonderbare Frau. Dabei ist sie wirklich so sehr jemand, aber es ist kaum zu glauben, wie sich ihr Bild in der Seele aller Menschen verzerren muß, die nicht von vornherein sie wohlwollend sehen wollen. (Zu welch letzteren ich gehöre, weil ich sie wirklich gern habe.)

Und nun sind Sie wieder ganz ruhig in Auerbach? oder nicht? Schreiben Sie mir doch bitte wieder einmal. Haben Sie gehört, daß Rudi Schroeder und seine vielen Geschwister ihre Mutter verloren haben, an der sie alle sehr hingen und die eine außerordentliche Frau gewesen sein muß, mit einer unerschöpflichen Fülle von Liebe für so viele Kinder und Enkel.

Und nun kommt die am Anfang angekündigte Angelegenheit. Rilke der gewöhnlich mit einem ganz kleinen ihm vom Inselverlag gesicherten Jahreseinkommen ganz bescheiden aber rangiert lebt, ist durch irgendwelche Umstände in eine arge gêne geraten so daß er wenn er nun aus Algier nach Paris zurückkehrt, tatsächlich für Sommer und Herbst nicht wüßte, wovon er leben sollte. Er hat dies ganz freimütig an jemanden geschrieben und dieser hat es wieder mir gesagt und wir wollen nun, ohne die Sache an die große Glocke zu hängen, uns an ein paar Menschen wenden die wie Sie, wie Marie Taxis, wie Harry Kessler, auch wirklich sehr viel menschliche Sympathie für ihn haben und von denen es sicher ist, daß sie diese kleine Hilfe auch mit netten freundlichen Gedanken ausüben. Es handelt sich natürlich für den Einzelnen gar nicht um eine große Summe, das wollen wir gar nicht, da ja die ganze Summe, die man anstrebt, nicht mehr als 2000–3000 francs ist.

Also bitte sprechen Sie mit Alfred und bitten ihn, daß er mir etwas für diese kleine aber prompte und recht notwendige Action schickt.

freundschaftlich   Ihr Hofmannsthal

P. S. Das Profilbild, das Sie ähnlich fanden, geht morgen nach Auerbach. Es prätendiert eher in einer Lade zu liegen, als aufgestellt zu werden.

Auerbach i. Vogtland, 7. d. M. [Mai] 11

Lieber Herr von Hofmannsthal

Ihr lieber Brief freute mich so sehr und ich hätte ihn schon früher beantwortet, wenn nicht unsere Theatertruppe mich ganz in Anspruch genommen hätte. Wir denken daraus eine ständige Einrichtung zu machen, besonders für die Dörfer! – Das Publikum war rührend und enthusiastisch. Besonders in dem einen Gebirgsdorf unter den alten Holzhackern war eine so sympathische Atmosphäre.

Hier in Auerbach müssen wir die Requisiten beschaffen. Eins der Hauptdinge war gestern Oswalts Trommel in »Was ihr wollt.« Es sind recht gute Schauspieler darunter, und wenn es eine dauernde Einrichtung würde, könnte man vielleicht Manches auf ein noch höheres Niveau bringen. Maria Stuart hat wohl am meisten gepackt. Aber nun will ich Ihnen endlich sagen, daß wir von Herzen gern für Rilke etwas geben. Hoffentlich helfen diese 200 M. Sie wissen, wie gern wir auch mehr geben würden!

Die Dresdner und Berliner Zeit war für mich eine Zeit der großen Frische und Lebendigkeit. Ich habe mich, vielleicht außer in Weimar, selten so übersprudelnd von Leben gefühlt. Aber nun ist es wieder eine Zeit lang aus, denn ein kleines Baby hat sich angesagt, was mich ja auch sehr freut, aber vorläufig gesundheitlich sehr niederdrückt, so daß ich fortwährend gegen ein starkes Unbehagen zu kämpfen habe. Aber es wird ja wohl bald besser. Vielleicht kommen Sie diesen Sommer wieder hier durch, es würde mich sehr freuen, da ich mich bis zum Oktober nicht von hier rühren werde.

Vieilles Maisons, Vieux papiers ist sehr unterhaltend. Vielleicht schicken Sie mir, wenn Sie Zeit haben, neue Titel. Alfred ist ganz Theaterintendant geworden, unser Haus wimmelt von Schauspielern, er grüßt vielmals.

Ihr Bild mag ich s e h r gern, lieber als das frühere. Ich glaube, ich werde es doch aufstellen. Sie bekommen auch bald meins: das Profilbild, das Ihnen gefiel.

Sehr herzlich   Ihre Helene Nostitz

Rodaun, 16. v. [1911]

Liebe gnädige Frau

ich war ein paar Wochen in Paris, sah niemand aber wirklich niemand, nicht Rilke, nicht Mutius, nicht van de Velde der ja, glaub ich, fast immer dort ist, sah die ganzen Wochen mit Bewußtsein kein mir bekanntes Gesicht.

Einsamkeit in dieser Art ist wie ein starkes Getränk, nimmt die Nerven ein wenig her, gibt aber schöne Stunden. Ich fuhr zurück, fand auf meinem Schreibtisch Ihr schönes Bild, freue mich sehr, daß ich's habe, danke Ihnen vielmals, danke nun auch noch für den letzten Brief. Wie schön und gut daß Sie ein zweites Kind haben werden, dann wird die Kinderstube erst recht eine Kinderstube sein und Oswalts Kindheit von da an doppelt so freundlich. Daß Sie aber darum bis an den October dort ruhig bleiben müssen? ist dem so?

Ich will mich auch recht still in Österreich halten, habe recht viel Lust zu vielfacher Arbeit. Aus einer solchen Arbeitszeit heraus

denkt sichs oft sehr lebendig an Menschen, denen man sich durch die Welt hin verbunden fühlt, und wenn das Denken wieder einmal besonders lebendig wird, werde ich schreiben.
Grüße Sie beide sehr herzlich und mit guten Gedanken.

Ihr Hofmannsthal

Auerbach i. Vogtland, 2. Juli 1911.

Lieber Herr von Hofmannsthal,
Vielen Dank für Ihre lieben Zeilen. Gestern abend dachten wir viel an Sie mit Hofmanns, die jetzt einige Tage bei uns sind, was wir sehr genießen.
Wir lasen zusammen aus Ihren Gedichten und haben es so genossen, daß ich es Ihnen gleich sagen wollte.
Wir gehen viel in der schönen Landschaft zusammen.
Es ist mir so ganz lieb, den ganzen Sommer hintereinander hier zu bleiben, denn der häufige Wechsel der Eindrücke stört manchmal die gerade errungenen. Doch auch wieder kann ich das Ausruhende einer Zeit wie die Ihre in Paris verstehn. – Kessler besuchte uns auch einen Tag.
Ich möchte, daß diese Zeilen gleich fortgingen. Sie sollten Ihnen nur diese Grüße bringen. Die Hofmanns wollen spazieren gehen

Ihre treue Helene Nostitz

[Hotel d' Angleterre, Kopenhagen] 22. IX. 1911.
Liebe gnädige Frau
Dies ist unsere kleine Herbstreise mit Papa, der diesmal eine Erholung und Erfrischung besonders nötig hat, weil er den ganzen heißen Sommer hindurch in Wien war. Wir verbrachten ein paar Tage in München – wie nett war es damals, als wir miteinander Raubtiere und andere Dinge ansahen. Diesmal trafen wir dort außer anderen Menschen, woran es ja in München nie mangelt,

auch Rilke, der fast zu Ihnen gekommen wäre in diesem Sommer. Der meinige ist sehr arbeitsvoll verlaufen, und wenn ich wieder zu Hause bin, will ich an die Ausführung einer modernen Prosa-comödie gehen, die mir manchmal zum Greifen nahe ist.

In Berlin waren wir nur 48 Stunden, es gab aber dort schon ein rechtes Getriebe. Reinhardt kommt aus Budapest und reist nach London, entsendet Truppen nach allen Richtungen und erfüllt die Theateratmosphäre mit Erregung auch wenn er nicht da ist. Bei Brahm kamen wir gerade zurecht zu einer stürmischen Eulenberg-première. In einem anderen Theater tanzt oder spielt Grete Wiesenthal 2 Pantomimen, die ich ihr gemacht habe. Ich lege das kleine Büchlein bei, das Ihnen vielleicht für eine halbe Stunde Spaß macht. Ich finde die Tänzerin in beiden doch sehr außerordentlich, sehr reich an Erfindung, in dem »Fremden Mädchen« unendlich rührend – manches könnte und wird auch noch viel besser werden, als Psyche hat sie eine schwache Partnerin u.s.f. im ganzen aber habe ich diesen Theaterabend in einer sehr lieben Erinnerung.

Daran knüpft sich eine kleine Bitte, die Sie mir, bitte, nur erfüllen werden, wenn Sie wohl sind und es Sie nicht angreift. Es wäre diese: mir eine Liste von Menschen zu schicken, die Grete Wiesenthal zu ihrer ersten matinée einlädt wenn sie Anfang October mit diesen Pantomimen nach Dresden kommt. Es kommt so sehr darauf an, daß es die gewisse Gruppe von halbwegs empfänglichen Menschen wäre. Wären Sie so gütig, diese Liste einem Schreiber der Hauptmannschaft zu dictieren, daß sie mich etwa den 28ten in Berlin, Hotel Adlon träfe – ich wäre unendlich dankbar. (Ich weiß nicht einmal, wer seit Carl Fürstenbergs Abgang unser Gesandter in Dresden ist.)

Denken Sie, daß wir in Berlin leider die gute Frau Richter nicht sehen konnten, weil sie bettlägerig ist – was mag ihr fehlen und

was ist mit Gustav von dem ich Monate und Monate kein Lebenszeichen hatte? – und daß wir mit Hauptmann recht bange Momente teilten, weil seine Frau nach einer an sich harmlosen Ope-
ration einige schlimm scheinende Fiebertage hatte – so geht das
Leben, alles durcheinander und nebeneinander hin, auf einmal
spricht man das von Kopenhagen nach Auerbach und fühlt sich so
nahe, als säße man bei einer Lampe in herbstlicher Dämmerung
einander gegenüber.   Viele Grüße und gute Gedanken Ihnen
beiden

Ihr Hofmannsthal

[Telegramm]   [Berlin, 26. November 1911]

Wie schön wenn Sie beide zum ersten Dezember Premiere meines
Bühnenspiels Jedermann da sein könnten herzliche Grüße
Hofmannsthal Hotel Adlon

Auerbach i. Vogtland, 29. Nov. 11

Lieber Herr von Hofmannsthal
Sie wissen w i e gern ich gekommen wäre, aber ich darf noch nicht
viel unternehmen und muß mich noch immer schonen, sonst rächt
es sich wieder später wie damals in St. Moritz und den ganzen
Sommer damals.
Ich bin g a r nicht gern vernünftig. Wie schön, wenn Sie wieder
einige Stunden in Auerbach verbrächten im Schnee. Vielleicht
können Sie es von Berlin aus bald?
Alfred denkt noch hin und her, ob er es möglich machen kann zu
kommen. Es ist merkwürdig, wie es mir immer so schwer gemacht wird, etwas von Ihnen auf der Bühne zu sehen.
Ich denke noch so oft an die Tage des Rosenkavaliers, die alle etwas so Leichtes und Schillerndes und Entzückendes hatten.

Ihre Helene Nostitz

Lieber Herr von Hofmannsthal

Ganz rasch möchte ich Ihnen sagen, wie sehr ich den »Jedermann«
Abend genossen habe. Es ist darin so etwas Losgelöstes, neu An-
fangendes – Moissi wird einem immer lieber und Reinhardt gibt
wieder wunderschöne Dinge: Der Augenblick, wo die kleine
weiße Gestalt und oben die blaue steht, und sonst so Manches.

Gestern nachmittag sprach ich gern mit der Gräfin Kalckreuth. Sie
würden auch gern mit ihr sprechen. Sie sagte mir Dinge über den
»Rosenkavalier«, wie ich sie auch empfinde und nie hörte; sonst
spreche ich nicht darüber.

Haben Sie meinen Brief bekommen und wird der erste März für
Auerbach gehen? Ich möchte Sie so [gern] wiedersehen. Sie und
Kessler fehlen mir hier sehr obwohl es meist flüchtig ist

Ihre Helene Nostitz

[Athen, Hotel Continental] 6. April 1912

Lieber Herr von Hofmannsthal,

Wir sind recht betrübt, hatten uns schon sehr darauf gefreut, Sie
endlich in Rodaun zu sehen. Sollte irgend eine Möglichkeit noch
auftauchen, so sind wir bis zum 16ten und eventuell auch bis
zum 18ten hier noch zu erreichen. Briefe reisen 5 Tage. Wir schif-
fen uns am 22ten in Patras ein.

Es gibt Augenblicke in diesem Lande, die unvergeßlich sind, wie
gewisse Beleuchtungen im Parthenon, ein Tag auf der Insel Ägina,
die Größe von Mykene.

Italien verschwindet aber nicht für mich dagegen, es ist eben etwas ganz anderes und der Reichtum an wirklich vorhandenen
Dingen doch nicht zu ersetzen.

Sehr gern bin ich morgens in dem kleinen Akropolis Museum, bei den lächelnden archaischen Frauen, dort kommt man vielleicht dem eigentlichen Empfinden dieser Zeit am nächsten.

Wie fanden Sie Nijinsky?

Lichnowskys sollen hier sein, ich will vielleicht versuchen, sie einen Augenblick zu sehn.

Ihre Helene Nostitz

[Rodaun] 11. IV. [1912]

Liebe gnädige Frau

ich war auch sehr betrübt so telegraphieren zu müssen, aber es ging eben nicht anders. Ihr Telegramm sprach ja von ganz bestimmten Tagen, dem 27 und 28ten. Nun hab ich seit Wochen meine Abfahrt für die Autopartie nach Umbrien für den 28ten (von München ab) fixiert, kann sie auch nicht hinausschieben weil ich den 26ten Mai spätestens wieder in München sein muß um noch die gleiche Nacht nach Paris zu reisen (Verabredung mit dem Director des russischen Balletts, für das ich etwas arbeiten soll). Außerdem setzt das Münchener Hoftheater voraussichtlich aus Rücksicht für mich die dortige Première von Jedermann für d. 25. an, in welchem Fall ich sogar schon am 23ten oder 24ten von hier abreisen müßte. Diese Überlegungen und den Grad meiner Enttäuschung über dieses fast tückische Nicht-Zusammenkommen mit so lieben Menschen, die ich so sehr zu dem kleinen Kreis wirklicher und wahrer Freunde rechne, konnte ich natürlich in dem Telegramm nicht ausdrücken, beeile mich nur diese Zeilen zur Post zu bringen, damit sie Sie womöglich noch erreichen.

Wäre sehr froh, käme nun gelegentlich noch ein so lieber Brief.

Ihr Hofmannsthal.

Lieber Herr von Hofmannsthal,
Es war traurig, daß es damals wieder nicht ging, und dies immer
weiter äußerliche Auseinandergehen betrübt mich.
Mein Vater ist recht krank, so daß ich diesen Sommer wohl zwi-
schen Auerbach und Berlin bleiben werde. Hoffentlich wird man
sich Stuttgart im Oktober erkämpfen können.
Jemanden wie Bodenhausen würde ich auch gern mehr als ½
Stunde alle zwei Jahre sprechen. Hoffen wir, daß das Anhören der
Lebensgeschicke der Referendare und Assessoren auch etwas
Nützliches ist.
Die Landschaft und der Garten sind mir lieb geworden und das
Herausziehen mit Oswalt in diese Landschaft, wo Quellen rieseln
und es nach Heu duftet. Dazu das Sprechen mit den einfacheren
Leuten. Leider kommen wir ja mit Fabrikarbeitern nicht so viel
in Berührung wie ich gedacht hatte. –
Rilke schrieb mir neulich aus Venedig und will vielleicht kom-
men. Ich spreche auch so gern mit ihm, man sagt ihm Zwischen-
dinge, die sonst meistens unausgesprochen bleiben.
Gustav sahen wir neulich in Berlin. Er ist gealtert, hat aber doch
bei aller Depression das Sonnige behalten. Was für eine Erlösung,
daß es so geendet hat! –
Von Kessler ist es nicht möglich, etwas zu erfahren.
Viele treue Gedanken von Ihrer

Helene Nostitz

Aussee, Steyermark, Obertressen 14   19. VII. [1912]

Liebe gnädige Frau
meine Erinnerung an Sie, und der Vorsatz, an Sie zu schreiben,
war in der letzten Zeit besonders lebhaft, und Ihr Brief, der vor-

gestern ankam, zeigt mir aufs neue daß man fast nie allein ist, wenn man sich dem Andern näher fühlt als sonst.

Ich fragte mich manchmal, ob Sie nur das trockene Telegramm nach Athen bekommen haben, oder wenigstens auch die Zeilen die ich ihm nachschickte und aus denen Sie vielleicht fühlen konnten wie sehr leid mir gewesen war, Ihnen absagen zu müssen. Sie schlugen mir zwei oder drei ganz bestimmte Tage vor; meine Einteilung die seit Monaten getroffen war, worin andere Menschen einbezogen waren schloß diese Tage unbedingt aus. Verfuhr ich selbst unfreundlich gegen das Münchener Hoftheater und ließ die Première dort Première sein (es handelte sich um die von Jedermann, der ich dann schließlich auch nicht beigewohnt habe) so war immer noch nichts gewonnen, denn ich mußte den 28ten oder 29ten April von München wohin ich mir ein gemietetes Auto bestellt hatte die Reise nach Italien antreten, weil ich hier wieder einen gebundenen Endtermin hatte: mich nicht später als den 25ten Mai wieder in Paris einzufinden. Ich habe dies alles eingehalten und es waren viele unvergeßlich schöne Stunden gewonnen. Die Fahrt über den Apennin von Faenza nach Florenz, die von Florenz nach Perugia über Cortona und Arezzo, ein anderer Tag von Rom über Viterbo nach Orvieto, eigentlich fast alles.

23. Nun bin ich gestört worden und der Brief ist vier Tage liegen geblieben! – Neu war mir Lucca und hat mich bezaubert. Sie kennens wohl, so schildere ichs nicht. Aber es ist ganz was einziges, die schönen baumreichen Täler, die stille von der Zeit vergessene Stadt ohne Fremdengetue – hier fanden wir auch sehr liebe Menschen, Rudolf Borchardt und seine Frau, die seit 4 Jahren dort leben, dann eine alte Fürstin Altieri mit ihrer Tochter, die zwei Frauen, allein, in dem einsamen Nest, eine Atmosphäre so außerhalb 1910, sehr schön, ein wenig 1820 wie ganz Lucca es ist. In Florenz sahen wir wenige Menschen, hatten

aber viel Freude an diesen. Placci war so freundlich, lebendig, dienstfrig daß es uns wirklich rechten Spaß machte, die Gräfin Serristorti ist mir bei jeder Begegnung um so lieber – Ludwig v. Hofmanns beide dort zu finden, einen Nachmittag und einen Abend mit ihnen zu verbringen, war eine rechte und gute Überraschung.

25ten. Nun bin ich wieder unterbrochen worden, so gehts wenn man einen langen Tratsch-brief schreiben will. Die Vormittage arbeite ich immer und so wirds hoffentlich bleiben bis Ende September, es ist mein ganzer Wunsch, diesen Aufenthalt, dieses In-mir-geschlossen-sein nicht zerrissen zu sehen – früh nachmittags ist man müd, grad zum Lesen noch genug, dann zieht die Landschaft einen ja doch aus dem Haus heraus – ich lieb diese Landschaft so sehr, je älter ich werde, desto reicher wird sie mir, bin ich einmal ganz alt, so steigen mir wohl aus den Bächen, den Seen und den Wäldern die Kinderjahre wieder hervor – so schließt sich dann der Kreis. In diesem Sommer ist mir, als würde ich wieder Gedichte machen: in den letzten fünfzehn Jahren sind nur wenige entstanden.

Im Juni schrieb mir eine gute Freundin (Gräfin Degenfeld, Schwägerin von Eberhard Bodenhausen und noch viel mehr eine Freundin von diesem) sie käme zufällig dazu, mit den van de Veldes nach Lauchstätt zu gehen und freute sich: S i e beide würden auch dort sein. Dann: Nostitzens sind nicht gekommen, leider, weil sein oder ihr Vater krank ist. Das tat mir doppelt leid, ich hätte mich so gefreut, daß sich dorthin ein Faden anknüpfte, mich gefreut für mich, für Sie und für Eberhard B. der sichs wünscht, das weiß ich. Vielleicht ergibt sichs im October in Stuttgart! Ich werde ein paar Wochen n a c h Stuttgart, zum ersten Abend der »Ariadne« nach Dresden wohl auch müssen, desgleichen habe ich mich für die erste Dresdner Aufführung von »Jedermann« dahin versprochen. Es war immer mein Gedanke, damit ein paar

Tage in Auerbach zu verbinden. Daß ich den Sommer nicht hinkam, müssen Sie mir vergeben – ich muß mich im Sommer zusammenhalten und es ist nicht zu sagen, wie mich kleine Reisen zerstreuen, ja zerrütten, wo doch bei meinem Beruf alles auf Sammlung ankommt. Ich gäbe viel darum, könnte ich Sie stärker in eine Kette einschalten, deren Glieder zwar in alle Länder zerstreut und nie beieinander sind, aber doch so verbunden, daß man, wenn man eines berührt, die anderen mitzuspüren glaubt. »Ariadne« geht demnächst an Sie, dazu eine kleine Einführung in Gestalt eines abgetypten Briefes von mir an Strauss. Ich bin, mit vielen guten Gedanken für Sie Beide, auch von Gerty

Ihr Hofmannsthal

Auerbach i. Vogtland, 20. August [1912]

Lieber Herr von Hofmannsthal,
Ihr langer Brief war eine große Freude. Er war so wie ein Gespräch mit Ihnen, daß ich ihn im Garten immer wieder durchlas. Ja, ich erhielt auch damals Ihre Zeilen nach Athen. Wir waren traurig, aber verstanden sehr Ihre Absage. Wie oft haben wir selber mit ähnlichen, festgelegten Dingen zu kämpfen, die sich nicht umstoßen lassen.
Ich denke bestimmt im Oktober nach Stuttgart zu kommen, aber wahrscheinlich wohl leider allein, da Alfred schwer dies Jahr wieder fortkann. Könnten Sie mir ein Billet reservieren, oder an wen soll ich schreiben?
Nicht wahr Lucca ist etwas Wunderbares. Ich verbrachte dort einmal einen Tag mit Rodin, ich sehe ihn noch auf dem einen Platz stehen, und wie wir den süßen Schlummer dieser Stadt empfanden. Waren Sie nicht auf dem Turm, wo oben, ganz oben ein kleiner Garten mit rauschenden Bäumen über der Stadt steht? Es ist merkwürdig. Sie schrieben von Gedichten und grade als

Ihr Brief kam, hatte ich oft in Ihren Gedichten gelesen und dachte an die Tage in Dresden, als Sie sie mir vorlasen: »Den Traum von großer Magie«.

Neulich im Gespräch mit jemand (einem unserer Assessoren) kamen wir auf van Gogh. Das Beste, was ich über ihn gelesen habe, sagte er, ist doch ... und er beschrieb Ihren Aufsatz, den ich gleich erkannte.

Berlin Auch ich habe diesen Brief unterbrochen; unterdessen kam Borchardts Rede über Sie in meine Hände. Er war mir schon in einigen anderen Dingen nahe gekommen, hoffentlich kommt man einmal zusammen. Ich bin hier wieder bei meinem Vater, der weiter recht elend ist, und doch kommen Dinge aus ihm heraus, die im Leben sonst schweigen. So müßte man innerlich immer wie vor einer großen Krankheit oder dem Tode sich gegenüber stehen.

Wie schön, wenn Sie dann von Dresden aus zu uns kämen. Ich sehe Sie so viel lieber dort als in Berlin. Das kleine Auerbach ist wieder eine Welt für mich geworden, voll eigentümlicher Zusammenhänge – aber worum ich Sie beneide, ist diese Landschaft in Aussee, zu der Sie immer zurückkehren werden – und hier legt man so Manches hinein und sieht sie dann nicht wieder oder nur äußerlich.

Hoffentlich wird Stuttgart werden.   Ihre Helene Nostitz

Aussee, 8. IX. [1912]

Liebe gnädige Frau

Sie schreiben, daß Sie gern nach Stuttgart kommen würden, aber keinen Platz hätten – nun hatte ich mir gerade, bevor Ihr Brief kam, die größte Mühe gegeben auf irgendwelchem Wege einen Platz für Gräfin Margit Zichy (geborene Zichy, Tochter des einarmigen Claviervirtuosen) aufzutreiben – und ganz vergebens – also war ich ziemlich verlegen, indessen besuchte ich in Gastein

Bodenhausens, die sich so aufrichtig freuen würden Sie dort zu sehen und den Faden zwischen Ihnen und sich weiterzuspinnen, Bodenhausens werden Ihnen vielleicht (d. h. wenn Botho Schwerin absagt) einen Platz zur Première anbieten können – ich auch vielleicht d. h. nur wenn Kessler absagt (was ich natürlich nicht wünsche) aber für den 2ten oder 3ten Abend (es sind gleichwertige Festvorstellungen) kann ich Ihnen mit ziemlicher Sicherheit einen versprechen, wollen Sie's auf das hin wagen und hinkommen – es wäre reizend. Das Hotel heißt Marquardt, Sie müßten gleich hinschreiben, ich höre, das Hotel ist schon überfüllt, aber reserviert Ihnen gewiß w o a n d e r s ein Zimmer oder vielleicht ist dort eine sächsische oder preußische Gesandtschaft und Sie könnens durch diese machen oder Sie schreiben zwischen 17ten und 25ten September wegen des Wohnens an Baronin Bodenhausen, Schloß Neubeuern am Inn, Oberbaiern.

Von der armen guten Frau Richter bekomme ich, aus Kohlgrub in Baiern, sonderbare kleine Briefe, immer auf mehrere Ansichtskarten geschrieben, an denen mich etwas Fremdes tief beunruhigt und traurig macht – Können Sie mir ein Wort über sie, über Gustav schreiben? Die guten lieben Menschen! Bitte schreiben Sie mir!

Ihr Hofmannsthal

Auerbach i. Vogtland, 11. Sept. 12

Lieber Herr von Hofmannsthal,
Warmen Dank für Ihre Zeilen – Ich hoffe sehr stark nach Stuttgart zu kommen.
Wann ist der zweite und dritte Abend? Ich würde eher dazu als zum ersten Abend (der wohl am 15ten ist?) kommen können, was unter den Umständen sehr gut paßt.
Hoffentlich sind Kessler und Bodenhausen dann noch da. Alfred

wird wahrscheinlich doch auch mitkommen. Wäre es nun zu viel verlangt, wenn wir Sie bäten, für den 2ten oder 3ten Abend auf alle Fälle zwei Plätze für uns zu reservieren, da sie doch immer noch fortgegeben werden können. Ich werde Bodenhausens schreiben und sie bitten, mir kurze Nachricht zu geben, ob das Billet für den ersten Abend für mich zu haben ist, und wenn es irgend möglich ist, würde ich dazu auch kommen und dann für den anderen Abend so wie so bleiben; ich erinnere mich, wie besonders schön es war, den Rosenkavalier gleich noch einmal zu hören.

Die Unbestimmtheit meiner Pläne hat folgenden Grund.

Der Zustand meines Vaters ist weiter s e h r ernst. Ich muß jetzt meine Mutter in Berlin ablösen und ihn 4 Wochen dort pflegen bis Mitte Oktober. Sollte nun irgend etwas Ernsteres eintreten, so könnte ich nicht nach Stuttgart kommen. Wenn aber alles so bleibt, so komme ich mit einer wirklich sehr warmen Freude; wenn es doch möglich wäre! Ich genieße solche Tage mit Ihnen allen so ganz besonders stark. In Stuttgart werden wohl auch fast gar keine zu umgehenden Menschen sein, die einen quälen. –

Am Sonnabend spiele ich hier in einem Konzert. Die ernste Arbeit vorher macht mir viel Freude. Am Sonntag fahre ich nach Berlin Sigismundstraße 6. Es wird eine schwere Zeit, denn ich werde ganz allein mit dem Kranken in der melancholischen Wohnung sein.

Ich wäre Ihnen sehr dankbar, wenn Sie mir dorthin schreiben könnten und mir einige Bücher sagen, die ich lesen könnte.

Dies Bild des zweiten Babys wird Ihnen vielleicht Freude machen. Von Richters hörte ich nichts. Sie schreibt meiner Mutter manchmal. Mit Gustav verbrachten wir einen Abend im Juli.

Seine sonnige Natur leuchtete noch immer, aber er ist grau geworden und augenblicksweise dann auch wieder schwer und traurig in seinem Wesen. Was Sie über Frau Richter sagen, betrübt und ängstigt mich. Meine Mutter sagte davon nichts. Im Gegenteil, sie freute sich über die Briefe.

Wir grüßen Sie beide sehr.   Ihre Helene Nostitz

Schloß Gandegg Eppan b. Bozen. 23. IX. [1912]

Liebe gnädige Frau
wie oft schrieb ich in diesen Tagen in Gedanken an Sie besuchte
Sie in der Sigismundstraße, nun schreib ich doch erst heute, und
das wird kein langer Brief – ich kanns nicht machen wie ich will,
ich bin an einer Arbeit, bin im Anfang und bin auch wie ein An-
fänger, hilflos und ängstlich, muß mich ganz zusammennehmen –
alle Kräfte, alle lebhaften Gedanken, nur ein Fädchen darf sich zu
Freunden spinnen. Von Gustav hatte ich heute einen lieben Brief,
auch gute ermutigte Zeilen darin über die Mutter, er schreibt aus
Wannsee – sehen Sie ihn denn da nicht? Er ahnt wohl nicht daß
Sie dort sind. –
Was Sie lesen sollen? Nichts neues, immer doch lieber Balzac
oder Goethe oder Shakespeare. Suchen Sie sich in W. Meisters
Wanderjahren die schönen drin eingeflochtenen Novellen – oder
lesen Sie die »Kronenwächter« oder »Isabella von Ägypten« im
Arnim (Es gibt eine Ausgabe, neu, im Inselverlag).

Die 3 Vorstellungen von »Ariadne« sind nacheinander den 25.,
26., 27. October – zwei Plätze für irgendeine »reservieren« ist
ganz undenkbar, um keinen Preis ist auch nur einer für einen der
Abende heute zu bekommen. Sie haben, wenn Sie ihn wollen,
einen für den 2ten Abend, findet sich dann dort die Möglichkeit,
noch einen aufzutreiben, so telegraphiert man an Alfred, anders
gehts nicht. Die Dresdner Première ist im November – doch
fänd ich schon nett, wenn Sie nach Stuttgart kämen. Vedremo.
Ich bin 1.–15. October in München Hotel Marienbad.
Herzlich mit vielen guten Gedanken

Ihr Hofmannsthal

Lieber Herr von Hofmannsthal

Sehr warm danke ich Ihnen für das Telegramm und den sehr lieben Gedanken, mir das Stück schicken zu lassen.

Ich dächte, es müßte gehn und will wenigstens den Versuch machen! Dies Bewegte, leichthin, das Sie in so ganz besonderer Weise erfaßt haben, muß doch auch den Dilettanten in einer gewissen Bewegung erhalten und ihn vor Starrheit bewahren.

– Ich bin ganz besonders nah von Ihrem Brief an Strauss über die Ariadne berührt worden, da ich, eh ich ihn gelesen, unwillkürlich die selben Gedanken über die Ariadne in mir bewegte.

Es ist nur eigentümlich, wie einige unserer tieferen Gedanken und Empfindungen gleichsam wie im Schlummer geboren werden und in diesem Schlummer bleiben, wenn der Dichter sie nicht weckt. Große und immer wieder wunderbare Aufgabe, die auf dem Brünhilde Felsen vielleicht ihren musikalischen Ausdruck gefunden hat.

Ich denke noch gern an die Tage in Stuttgart. Es war auch eine besondere Freude Kessler etwas nach der langen Zeit zu sehen, und die Gräfin Degenfeld bleibt mir in besonders sympathischer Erinnerung. Dann auch Wassermann, der so viel Wärme hat. Er spricht so wie einige Menschen in Dostojewski.

Wie sehr freue ich mich, wir uns, auf Ihre Tage in Auerbach Oft gehe ich jetzt nachts im Schnee spazieren.

Wir müssen dann auch einmal in die Wälder hinaus, wo ein Friede ist, wie unter großen Kathedralen.

Ich schreibe Ihnen so alles hin, wie es so kommt, es sind wohl oft gesagte Dinge, die mir aber immer wieder mit solcher Kraft neu erscheinen, daß ich sie sagen muß, vielleicht fast so besser als im Gespräch, da sie nur in der Ruhe so kommen.

Ihre Helene Nostitz

Liebe gnädige Frau
vielen Dank für Ihre guten Zeilen. Ich hoffe anhaltend, meine
Tage in Auerbach (um den 1. XII.) einzuhalten, kann aber von der
Dresdener Generaldirection der Hoftheater trotz eines Briefes
und einer rp. Depesche den Tag für »Jedermann« nicht erfahren.
Ich bin dadurch ziemlich ratlos, kann nicht disponieren. Hoffentlich schieben sie es nicht über den 9. XII., denn von da ab bin
ich unabkömmlich. Könnten Sie es etwa durch ein Telephon an
Wiecke (der die Hauptrolle spielt) in Erfahrung bringen (ohne
mich zu nennen) und mir den Termin depeschieren, wäre ich
glücklich. Es ist mir rätselhaft, warum man so unartig oder so
confus ist. Ich hoffe auf ein gutes Wiedersehen

Ihr H.

[Telegramm]   [Rodaun, 29. November 1912]

Eintreffe Reichenbach schon Sonntag Vormittag mit irgend er-
reichbarem Anschluß an meinen in Dresden sieben Uhr acht ein-
treffenden Wienerzug Grüße

Hofmannsthal

[Hotel Adlon, Berlin] 11. XII. [1912]
Liebe gnädige Frau
mir war, Sie würden kommen, oder es würde ein kleiner Brief
kommen. Nun fahre ich fort, nach Darmstadt, dann nachhaus.
Kessler ist hier, recht wenig wohl, recht schlecht aussehend. Frau
Richter, Gustav fand ich halbwegs wohl. Das was ich geschrieben
hatte schien sie zu freuen.

Ich denke sehr viel an Sie und dies alles. Es ist Sorge, als wären
Sie zu Schiff, auf einer nicht ganz ungefährlichen Fahrt – aber

nicht der Wunsch, daß dies hätte nicht kommen sollen. Ich habe nie so sehr gefühlt, daß Sie da sind, nicht bloß als ein menschliches Wesen sondern als eine Frau, wie diesmal.

Leben Sie wohl. Vielleicht sieht man sich doch zu Ende December – wer kanns wissen?

Ihr Hofmannsthal

Auerbach i. Vogtland 15. Dezember 1912

Lieber Herr von Hofmannsthal,

Vielen Dank für Ihre lieben Zeilen. Ich schicke Ihnen die lächelnde Frau – behalten Sie diese im Rahmen, ich lass mir eine andere kommen und schicke Ihnen dann noch eine für Aussee.

Wir wollten auch eigentlich kommen, aber dieses Sagenmüssen an meine Mutter nahm mir den Mut dazu, wo sie mir immer so traurige Nachrichten gab und ich dann – nun, Sie werden es verstehen.

Auch schreiben wollte ich, das was ich erlebte, war aber zu stark und schwierig und verhinderte mich daran. Es bleibt schwierig, aber der Weg ist wenigstens etwas klarer geworden, vor allen Dingen scheint es für mich nur diesen Weg zu geben und das gibt mir verhältnismäßige Sicherheit und Ruhe.

Ich grolle aber über kein Erleben, das Erleben in den von uns bestimmten Grenzen muß sein. In diesem Gespräch neulich im Japanischen Garten, wie bei jedem Gespräch, habe ich so Manches stückweise gesagt, und ich fürchte dann immer, daß Einzelnes dadurch nicht im richtigen Licht erscheint, und daß das Bild von Alfred für Sie irgendwie verschoben wurde, welches ich in seiner Klarheit und Größe wie ein Heiligtum nie antasten möchte. Sie können auch das Bild von uns mit den Kindern ganz so behalten wie früher, aber wir können und dürfen nicht alle Stürme aus unserem Lebensgarten verscheuchen. Es ist wahr, Sie haben richtig gefühlt, daß ich vielleicht erst jetzt intensiver das Leben berühre. Ich hatte, besonders wie ich ganz jung war, etwas so Fernes in mir, daß ich sehr oft kaum eine Gegenwart realisierte.

Schreiben Sie mir bald einige Worte, ob Sie mich richtig verstanden haben.

Die Tage in Dresden und Auerbach waren wirklich schön. Es ist möglich, daß wir nach Neubeuern kommen.

Ihre Helene Nostitz

Ich denke noch so oft an den Wanderer.

R. 21. XII. 1912

Liebe gnädige Frau

lassen Sie mich für den Brief und das Bild Ihnen viele Male danken. Das Bild wird mir mehr als irgend etwas in der Welt nützen können den dritten Aufsatz zu schreiben – an dieses unausdeutbare Gesicht sind jetzt schon alle Hoffnungen etwas unausdeutbares Inneres irgendwie doch an den Tag zu bringen, geknüpft.

Ihr Bild hat sich mir nicht verschoben, eher mit einem warmen Licht erleuchtet. In Bezug zu den Kindern, zu Alfred sehe ich Sie wie immer, aber indem ich Sie sehe bin ich, der Sehende, tiefer bewegt, – das ist alles. Alfred ist für mich eine feststehende, freundschaftlich erfaßte Gestalt.

Ich hoffe fast, man sieht sich in 8 Tagen.

Haben Sie an Baronin Bodenhausen geschrieben, so sind Sie vielleicht ohne Antwort geblieben. In diesem Fall telegraphieren Sie mir, bitte. Ich werde es an die Hausfrau weitergeben. Eberhard B. ist nur bis zum 1ten 1. dort, ich komme, mit Gerty, den 28ten hin, Rudolf Schroeder den 29ten.

Man fährt Schnellzug bis Rosenheim (eine Stunde von München), von dort (umsteigen) eine Viertelstunde bis Station Raubling

wo der Wagen wartet. Man muß natürlich seine genaue Ankunfts-
stunde telegraphieren. Tel. Adr. Schloß Neubeuern am Inn.

—

Ich verstand, warum Sie nicht nach Berlin kommen konnten. Auf
Wiedersehen – und mit guten festen Wünschen, die sich nicht aufs
Weihnachtsfest sondern auf die geheimnisvolleren Veranstaltun-
gen des Lebens beziehen –

Ihr Freund Hofmannsthal

Rodaun, 19. II. 13

Liebe gnädige Frau

Das Couvert mit Ihrem Namen und der Adresse darauf liegt
schon seit zwei Wochen oder mehr auf meinem Schreibtisch, ich
sehe es jeden Tag, ja eigentlich jede Stunde. Es ist nicht Achtlosig-
keit, nicht Nicht-Denken, daß ich Ihnen nicht schreiben kann,
sondern eine innere Gebundenheit, vielleicht hervorgerufen durch
Ihren Brief und die Schuld, die ich mir an dem Vollzogenen geben
muß, die ich freilich, müßte es sein, auch nochmals auf mich
nehmen müßte, so unmöglich ist ein anderer Ausweg. Vielleicht
ist es Ihnen möglich, mir wieder einmal zu schreiben.

Ihr Freund Hofmannsthal.

Auerbach i. Vogtland 11. Mai 13

Lieber Herr von Hofmannsthal,

Schwere, dunkle Monate sind vergangen, in denen manchmal
doch auch wieder Schönheit durchblickte. Das was ich in der
Nähe des Todes wieder erleben durfte, war Friede und Größe.

In anderer Beziehung fange ich an, die erste Benommenheit zu
verlieren, wenn auch das vorhandene Leiden mich noch immer
umgibt. Der feste Glaube an die Notwendigkeit des Schrittes
wird immer mehr Kraft geben – das fühle ich.

Wir sind plötzlich nach Leipzig versetzt, schon zum Juni. Was sagen Sie dazu? Mich reizt es eher. Ein Zusammenhang mit Weimar wird vielleicht wieder möglich sein. Es ist eine lebendige und wohl unconventionelle Stadt, wo sich alles machen läßt. Wir haben ein Haus mit Garten im Grünen gefunden. Das Losreißen von Auerbach wird mir nur in einigen Beziehungen schwer. Die Landschaft, das Haus und die rührende fast hilflose Verzweiflung unserer näheren Umgebung, die aus dem Erstaunen [über] einer einfach rein menschlichen Behandlung noch kaum hinaus gekommen war. Für Alfred bedeutet es ja leider viel Arbeit, aber recht interessanter Art.

Hoffentlich, nein, ich weiß, Sie werden sicher kommen, denn Sie wissen, daß es dazu gehört und gehören muß, daß Sie manchmal kommen. Es liegt ja auch wirklich auf dem Wege, dieses Leipzig. Ich genieße jetzt recht im Garten die Lektüre des Chamberlainschen Goethe. Übrigens finde ich in Mechtild Lichnowskys Buch neben manchem Ärgerlichen viel Wirkliches und Lesenswertes.

Ich danke Ihnen noch für Ihre Berliner Zeilen. Das Schreiben ging eine ganze Weile nicht.

In alter Treue   Ihre Helene Nostitz

Rodaun, 16. v. [1913]

Liebe gnädige Frau

wie gut von Ihnen, wie wirklich gut, daß Sie mir wieder schrieben. Ich dachte ja so oft, so oft, Ihnen zu schreiben, wollte es – wie sehr – und konnte nicht. Es war eine völlige innerliche Hemmung. Ich war damals zu nah gekommen, Verantwortung lag auf mir, ich bereute freilich nichts, aber daran zu denken bedrückte mich. Ihr guter Brief hat es gelöst. – Die Nachricht, daß Sie Auerbach verlassen, kam sehr überraschend. Ihretwegen ist es mir lieb, entschieden lieb. Leipzig liegt so gut, nahe von Weimar, nahe von Berlin. Sie werden dort beweglich sein. Neue Menschen werden kommen und alte werden kommen (Ich – bestimmt.) Wie aber wird es für Alfred sein? Den lieb gewordenen Wirkungskreis verlassen, eine Tätigkeit abbrechen! Mir scheint es hart. Und was ist ihm in Leipzig zugedacht? Ein größerer Wirkungskreis? wird er Kreishauptmann? Gehilfe des Kreishauptmanns? Und wie Sie wohnen werden? und vieles frage ich mich. Vielleicht schreiben Sie wieder einmal. Ich bin still und arbeite. Im April war ich in Italien, fuhr mit Strauss in seinem Auto von Verona nach Rom. War dann eine Woche bei Borchardt und seiner Frau, in einem Landhaus der luccheser Landschaft, die ich vorzüglich liebe. Dann holte mich Strauss ab, wir fuhren zurück über Massa-Parma. Liegt dort nicht am Meer, nicht weit von Massa Ihr Ardenza?

Ich dachte an Sie. Die Landschaft dort wird mir immer mehr, je älter ich werde. Alles wird einem immer mehr, auch Freunde. Ich war im Januar Februar mit meinen Gedanken oft bei Ihnen, bis zum sehr-traurig-werden.

Herzlich   Ihr Hofmannsthal

Auerbach i. Vogtland 2. Juni 1913

Lieber Herr von Hofmannsthal,
Noch einige Worte aus diesem Hause, wo wieder ein Stück Leben zurückbleibt. –
Wir haben in Leipzig in der Wiesenstraße 5 ein nettes altes Haus mit einem Garten gefunden. Liegen, ganz von Bäumen umgeben. Alfred freut sich auf seine Tätigkeit (auch als Amtshauptmann, also unabhängig dort), weil sie doch noch umfassender ist. Der sehr entwickelte Arbeiter dort wird neue Aufgaben stellen. Die Aufgaben, die hier zu erfüllen waren, sind eigentlich so weit erfüllt, denn erst in zehn oder zwanzig Jahren würde man den eventuellen Erfolg sehen können. Herr Classen, der das Volksheim in Hamburg geleitet hat, bleibt zurück, um die neue Bewegung hier

zu leiten. Ich schreibe Ihnen das, damit Sie nicht das Gefühl von etwas Unnützem und Unterbrochenem haben. –

In Kissingen, wo Alfred sich erholen will, ist meine Adresse bis Juli: Sanatorium von Dr. Koczikowsky, Menzelstraße, dann auch Wiesenstraße 5, Leipzig. Im Juli sind wir 3 Wochen in Heiligendamm mit meiner Mutter. Dann im August will ich in Weimar mit den Kindern sein und von dort aus in Leipzig einrichten.

Sehr freute mich Kesslers Freude über unsere Versetzung. Er schrieb gleich so herzlich darüber und will auch im August in Weimar sein. Nun, das muß man erst sehn.

Aber es würde mich so freuen, wenn man ihm durch die Nähe etwas mehr sein könnte.

Ich schickte Ihnen heute ein Bild, das zufällig ganz gut geworden ist und Ihnen vielleicht Freude macht.

Ihre Helene Nostitz

Wiesenstraße 5, Leipzig [Januar 1914]

Lieber Herr von Hofmannsthal,

Wiecke wird am 4ten Februar abends bei uns recitieren. Wir möchten daß er auch Dinge von Ihnen sagte. Wenn es auch eine Überwindung ist: dieses Näherbringen gewisser Dinge soll man immer wieder versuchen.

Hätten Sie einen besonderen Wunsch dafür? Ich weiß, Sie mögen Wiecke gern. Er sagt die Dinge mit Größe ohne Pathos.

Es ist mir auch lieb, auf diese Weise zu versuchen, eine Nachricht von Ihnen zu bekommen. Ich höre, Sie sind krank gewesen. Ihr langes Schweigen geht mir doch nah, denn Ihr Zusammenhang mit einem Teil meines Lebens bleibt immer derselbe und verlangt doch manchmal nach einem äußeren Zeichen. Sind die griechischen Prosastücke erschienen? Die Einweihung unseres Hauses durch Ihren Besuch fehlt immer noch. Kessler sah ich kurz mit dem Virgil beschäftigt und immer eiliger und entfernter.

Wenn auch viele neue Menschen kommen, man möchte die alten Zusammenhänge nicht zerfließen sehen.

In treuer Freundschaft   Ihre Helene Nostitz

R. 23. 1. [1914]

Ich weiß nicht was es für ein Sprung in meiner Natur ist, liebe gnädige Frau, daß es mir seit dem letzten Jahr weniger als zuvor möglich ist mich meinen Freunden lebendig und teilnehmend durch Briefe zu bezeigen. Es wird sich wieder wenden, aber indessen müssen Sie Nachsicht üben.

Ihr Brief ging von hier nach Berlin und kam mir, da er mich dort nicht mehr fand, hierher wieder nach. Ich war acht Tage dort und ließ mich ein wenig gehen, mir die Freude an der großen Stadt, an Bildern und Statuen (zu denen ich sonst kaum komme) an Reinhardts Theater, wo mich einige Abende wahrhaft beglückten – nicht durch den halben Zwang des Geselligen rauben. So habe ich außer Reinhardt und Eberhard Bodenhausen, der auf dem gleichen Corridor des gleichen Hotels mit mir vieles mitgenoß, nur Frau Richter und Gustav gesehen – doch war es traurig, diese liebe Freundin zu finden und – ich muß es mir gestehen – kaum mehr zu finden.

Der dritte griechische Aufsatz ist noch nicht entstanden – mahnend hängt noch die Photographie der wunderbaren Mädchenstatue an meiner Tür – und Sie lassen sie mir – nicht wahr – bis der Aufsatz geschrieben ist – was bald sein wird! – der mir so lebhaft vor der Seele steht.

Ich wünschte Wiecke läse vor Ihnen und Ihren Freunden – wer sind wohl in Leipzig die Menschen die Sie zu einem solchen Abend laden? – etwas von mir, das noch nicht alle Welt kennt.

Wäre es ein gebildeter sympathischer Dilettant, der vorliest, und nicht ein Schauspieler, ich würde die kleine Geschichte »Lucidor« raten, die im Inselalmanach auf das Jahr 1911 steht.

Wie wäre es mit dem halbverschollenen »Märchen« – nein das paßt nicht! Also einem Teil des »Bergwerk von Falun« – oder ein paar Figuren aus dem »kleinen Welttheater«? oder aus den Prosaschriften der »Brief des Lord Chandos« oder dem Dialog über den Tasso – worin die Frau vorkommt die Helene heißt und die dann den Aufsatz über die »Prinzessin« einschickt! Dieses ganze Werkchen würde sich sehr gut zum Vorlesen eignen, scheint mir!

Schreiben Sie mir doch, wie der Abend verlaufen ist – und was überhaupt an Stelle der kleinen Welt von Auerbach getreten ist! Ist Leipzig ein »klein Paris«? Sehen Sie manchmal Kippenberg und seine Gattin, die awe-inspiring sein soll? aber Klinger anstatt Rodin – nein das doch nicht!
und Martersteig? und wen sonst? Bei Kippenbergs kommen ja wohl viele »Geister« durch!

Nächste Woche ist mein Geburtstag: mir imponiert mein Alter: 40, aber es schüchtert mich nicht ein. Bleibe ich am Leben und gesund so werde ich schönere Dinge machen als in der ersten Lebenshälfte.

Leben Sie wohl. Ich bin immer anhänglich, nur manchmal gebunden.

Ihr Hofmannsthal

Lieber Herr von Hofmannsthal,

Ich war länger recht elend, da ein kleines Baby seinen Besuch im Herbst angesagt hat. So verschob ich es immer, Ihre lieben Zeilen zu beantworten. Der Wiecke Abend ist nun länger vorüber und ich schicke Ihnen das Programm. Die Menschen waren zum Teil bemüht, zum Teil wirklich verstehend, und Wiecke war voller Größe, ohne Pathos. Es ist gut, ab und zu diesen Versuch zu machen, wenn er für einen selber auch eher peinlich bleibt. – Trotzdem brachte mir der Abend einige Augenblicke des Vergessens und wirklichen Genusses – Wie gern möchte ich wieder mit Ihnen sprechen – Leider werden wir nun nicht nach Paris kommen können im Mai. Hier in Leipzig ist es doch eher wieder ein Kampf mit dem Ort als ein Getragenwerden von ihm. Obwohl unser Haus wieder reizend ist. Ich sitze jetzt im Garten, durch die leicht grünen Zweige drang bis jetzt das Glockenläuten, das ich garnicht sentimental finde, wie Frau von Watzdorff in ihrem Buch sagt. Nein, Klinger ist nicht Rodin, aber die zwei Gespräche mit ihm waren doch das Lebendigste bis jetzt, die meisten Menschen fallen nach dem Gespräch wieder ab. Am unterhaltendsten sind dann noch Kippenbergs. Sie hat trotz ihrer Schwere entschieden eine Linie. Über die jungen Kurt Wolffs bin ich mir noch nicht ganz klar. Sie sind äußerlich sehr angenehm. Ja, die lyrische Schule von Leipzig: »Werfel«! Er ist wohl anzuerkennen, geht mir aber noch über nichts hinaus, was mir lieb ist.

Was sagen Sie zu ihm?

Die Wege und Begegnungen will ich mir jetzt kommen lassen und freue mich darauf. Ich wollte erst wieder lesefähig sein. Ich fühle, daß ich aber ein inneres Ausmeißeln brauche und es vielleicht ganz gut ist, daß dies Leipzig einen fast noch mehr auf sich selber stellt als Auerbach, wo die Ansprüche einiger intensiv hungernder und verlassener Menschen einen ganz in Anspruchnahmen.

Dies ist eine Seite. Nun gibt es unendlich viel soziale und frische neue Dinge, in denen mein Mann und ich viel tun können.

Es freut mich, daß die ganze Tätigkeit für ihn doch viel ausfüllender und reicher als in Auerbach ist. Aber es ist schwer, nun auch von ihm ein richtiges Bild in einem kurzen Brief zu geben, der doch immer persönlich ist und wo das Andere Unausgesprochene mit hineinfließt.

Einen Tag in Berlin war ich abends mit Bodenhausen zusammen, der mir wieder ohne viele Worte unendlich nah und sympathisch stand, so daß mir ein Abschiednehmen wieder leid tat.

Auch Reinhardt sah ich, aber nur an einer langen Premierentafel. Wir sind aber wieder immer gleich ganz bekannt.

Wenn Sie einige Bücher für mich wissen, wäre ich Ihnen sehr dankbar. Ich will jetzt Flaubert wieder versuchen. Übrigens merkwürdig wenig nah kommt mir Gide, den man mir immer wieder ans Herz legt.

Oswalt steht so nachdenklich unter einem Blütenbusch. Er hat viel Stille in sich für ein Kind. Kann aber glücklicherweise auch sehr wild sein.

Nun noch alles Gute und Freundschaftliche.

In alter Treue   Helene Nostitz

Würde Sie die Becker nicht interessieren?

                                        Rodaun, den 25. IX. [1914]
Liebe gnädige Frau
ich bin zufällig für ein paar Stunden in meinem Haus in Rodaun bei Gerty und den Kindern und kann Ihre Karte, die gestern eintraf, selbst beantworten.

Ich war bei der partiellen Mobilisierung im Juli zu einem Landsturm-Feldregiment im Süden der Monarchie eingerückt und wurde im August zu einer militärischen Centralstelle nach Wien befohlen (Kriegsfürsorgeamt des Kriegsministeriums) bei welcher ich in Verwendung stehe. Für Gerty und meinen Vater ist dies eine große Erleichterung, für mich war es schon zeitweise eine wahre Marter, nicht mit in der Front zu sein, aber bei der ungeheuren Gespanntheit unserer Situation, nicht bloß der militärischen sondern auch der diplomatischen und socialen, einer Gespanntheit, wovon das Ausland auch das verbündete Ausland keine Ahnung hat, auch keine zu haben braucht denn wir werden es durchstehen, wie wir die Türkenkriege (das einzige vergleichbare Ereignis in der österr. Geschichte) durchgestanden haben, bei dieser namenlosen Gespanntheit war und ist man vielleicht nicht minder nötig auf diesem Posten als anderswo.

Außerdem, da ich selbst hier in diesen Wochen um ¹/₆ meines Gewichtes abgenommen habe, ist mir fraglich, ob ich in der Front physisch durchgehalten hätte.

Ist Alfred in der Front oder sonst bei der Armee oder, wie mir fast vorschwebt, in der Civilverwaltung unentbehrlich? Bitte schreiben Sie ein Wort, und event. seine Feldadresse. –

Ich habe Ihren Mädchennamen immer sehr gerne gehabt, um Ihretwillen und auch sonst: es ist ein so schöner, wohlklingender deutscher Name. Welchen Klang aber nun der Name Hindenburg hat, und hier in Österreich, für Millionen Herzen – das wünschte ich Ihnen, fühlen zu können.

Schreiben Sie bald eine Zeile – nichts beglückt mich in dieser trotz allem beseligenden Zeit mehr, als daß fast alle die Menschen, die meinem Herzen nahe stehen, Deutsche sind. Wie wundervoll ist nun alles Menschliche von Volk zu Volk in Blüte.

Gott helfe uns weiter.

Ihr Hofmannsthal

Lieber Herr von Hofmannsthal,

Es war eine große Freude von Ihnen zu hören – wie oft habe ich diese Zeit in Gedanken mit Ihnen gesprochen, wo alles das in einem aufgewühlt wurde, was Ewigkeits Gehalt hat und nun diese Beziehungen um so fester und größer werden. Solche Augenblicke wie die ersten Siege, der Fall von Lüttich haben auch mich mächtig erfaßt – und jetzt auch das eiserne Durchführen und Aushalten – mehr, wie ich es von mir erwartet hätte, und ich kann vorbeimarschierende Truppen nicht ohne tiefe Bewegung sehen.

Sonst muß ich sehr abseits von allem leben, da in einer Woche wohl hoffentlich das kleine Baby erscheint, wohl das Nützlichste, was man als Frau jetzt tun kann. Denn man darf nicht schauen und empfinden, sondern [muß etwas] tun. So muß denn Ihre Tätigkeit recht schön und reich sein wie Alfreds auch, der schweren Herzens auf das Kämpfen auch verzichten mußte. Aber, wie Sie sagen: Menschen im Lande sind so sehr nötig und um Zahl und Tüchtigkeit der Kämpfer braucht man sich nicht zu sorgen. Der Brief von Schröder ergriff mich sehr. Heymel ist krank in Berlin zurück.

Diese Taten des Onkels Hindenburg sind mir auch so märchenhaft und unwahrscheinlich und die Begeisterung des Volkes auch hier ergreifend. Ja, es ist schon sehr schön, daß man das alles erleben darf trotz aller Schmerzen. Von Kessler hörten wir zuletzt aus Insterburg. Es wäre aber vor Namur besonders schön gewesen.

Alfred grüßt Sie sehr

Ihre Helene Nostitz

Bad Aussee, Obertressen 14,   24. VIII. [1916]

mein lieber Herr von Nostitz

es war mir so sehr leid Ihnen abzusagen – meine Gedanken waren die Tage vorher öfter bei Ihnen gewesen, ich war im Begriffe gewesen, Ihnen zu schreiben – nun bot sich unvermutet die Gelegenheit, Sie zu sprechen – . . aber vor allem hat es etwas so Ungewöhnliches, daß man wegen Regenwetters einen Freund nicht sehen kann, daß ich Ihnen eine kleine Erklärung schuldig bin. Sie machen sich nicht die Idee von einer Installation wie es die unsrige hier ist. Sie wurde vor Jahren als reines Provisorium acceptiert, dann Jahr für Jahr so weitergeschleppt, bis der Krieg dazwischen kam und eo ipso jeder Gedanke an Bequemlichkeit, Erweiterung etc. beiseite geschoben wurde.

Es ist ein winziges Bauernhaus, das sogenannte Speisezimmer so, daß die Kinder nie zu Tisch kommen können sondern für sich essen, bei Sonne im Freien, bei Regen in der bäurischen geräumigen Küche. Regnet es nun, wie es neulich in Strömen tat, so ist nicht die Möglichkeit, daß ein Gast sich zurückzieht, es ist kein Raum da als winzige Schlafzimmer: ein sogenanntes Arbeitszimmer ist in einem andern Bauernhäuschen abseits.

In anderen Jahren hatten wir ein ganzes separates Gästehäuschen, damit war alles im Gleichgewicht. Ein »benachbartes« Gasthaus gibt es aber in keiner Weise, weil wir auf einer steilen Lehne oberhalb u. außerhalb des Ortes wohnen; das nächste Gasthaus ist auf dreißig Minuten Entfernung und hatte, als ich anfragte, kein Zimmer frei.

Dies Ganze wird Ihnen als Lebensform schwer zu verstehen sein; es ist ja auch wirklich noch u n t e r meinen sehr bescheidenen Verhältnissen. Aber einmal liebe ich das Primitive sehr, bin sehr achtzehntes Jahrhundert in meinen Neigungen, liebe eine flackernde Kerze, ein dünnes Schindeldach, auf das der Regen trommelt, eine enge Holztreppe, eine schiefe Dachkammer, wie diese in der ich seit 8 Sommern schlafe und die kein Bedienter ohne Nasenrümpfen acceptieren würde, dann ist es einmal so gekommen –

und dann ist es eine gute Schutzwehr gegen das Sociale; und die muß ich haben, denn der Sommer ist meine eigentliche Arbeitszeit. – Ja, ich denke oft an Sie und ich mache mir Hoffnungen, wenn ich an Sie und Ihre Mission in Wien denke. Dies ist eine von jenen Stellungen, aus der nichts und alles zu machen ist, je nach der Person. Ich glaube, Sie sind sehr entfernt davon, aus irgend einer Stellung, die man Ihnen anvertraut, nichts zu machen, aber nie noch war der Wirkungskreis so wenig umschrieben, das Ganze so flottant, mit so großen Interessen in einer so ungenauen Weise verknüpft.

Ich kann mir nicht verhehlen, daß Sie schon anfangen aufzufallen: durch Ihren Ernst, durch Ihre Eindringlichkeit, sich informieren zu lassen, ich weiß nicht durch was – aber ich freue mich, es gewahr zu werden. Nur freilich ist hier auch gleich eine kleine Gefahr: aber Sie werden ihr zu begegnen wissen – ich meine die Eifersucht, die gekränkte Eitelkeit, die ja gerade bei Männern, bei älteren Männern von Rang eine so unbegrenzte Rolle spielt. Ich meine es wird sehr glücklich sein, wenn Sie es Tschirschky zu verbergen wissen, wie wenig Sie seiner zur Führung im österreichischen Labyrinth bedürfen, wie wenig Sie den Ariadnefaden gerade von seiner Hand empfangen wollen, und es wird ditto sehr wünschenswert sein, wenn eine meskine, dabei empfindliche und eitle Person wie [. . .] den stillen Vorwurf, den Ihre überlegene Person ihm bereitet, in einer gemilderten Form zu verschlucken bekommt: hiefür stehen ja so viele triviale Wege der Verbindlichkeit offen.

Vergeben Sie mir: ich nehme mir wirklich nicht heraus, Ihnen meinen Rat geben zu wollen, aber ich höre manches, und es liegt mir viel daran, daß Sie auf einem so eigentümlichen Boden wie der unsere es ist, zum mindesten einen amüsanten und für Sie lehrreichen Spaziergang machen.

Von dem allen sprechen wir ja noch. Noch eins ging mir durch den Kopf. Wenn Frau von Nostitz ihrem Salon mehr die nuance des musikalischen als des litterarischen fürs erste zu wahren im Stande wäre, so wäre, glaub ich, viel gewonnen. Ich wünschte, man einigte sich auf die Formel: er ist ein Gelehrter und Büchermensch und sie gar kein solcher Blaustrumpf, sondern eine sehr musikalische Frau – es geht nichts über eine gute falsche Formel, die erleichtert sehr das Dasein.

Ich ende mit einer recht unbescheidenen Bitte. Wäre es denkbar, daß Sie mir mit Ihrem Courier einen Pack Manuscripte (höchst loyalen Inhaltes natürlich: die ivte Serie der österr. Bibliothek) nach Dresden zur gütigen Weiteradressierung an den Inselverlag übernähmen? Ich wäre so dankbar. (Schicke ich sie durch den Botschaftscourier, so passiert mir schon zweimal, daß sie mir in Berlin liegen bleiben und reclamiert werden müssen)

Es ist ein ziemlicher Pack, etwa 4 Finger hoch – kann aber natürlich in zwei, ja in 6 Teile geteilt werden.

Bitte, falls Sie es mir tun können und wollen, so depeschieren Sie mir, dann sende ich sogleich den Convolut.

In herzlicher Anhänglichkeit der Ihre   Hofmannsthal

PS. Das Buch von Kjellen Die politischen Probleme des Weltkriegs – Sie haben es vermutlich längst auf Ihrem Tisch liegen – hat mir recht gute Dienste erwiesen, en tant que Übersicht über die verworrenen ineinander verhakten Probleme.

Im übrigen lese ich seit Monaten fast jeden Abend vor dem Schlafen ein paar Seiten in der Sévigné, im Lafontaine, im La Bruyère, im La Rochefoucauld, im Molière, im Bossuet und finde diese wahrhaft große, auch höchst menschliche Zeit ein wahres Paradies. Auch scheint sie mir keineswegs gar so fern oder fremd. In Österreich ist man ihr, was die allgemeine Atmosphäre gerade der besten Leute betrifft, manchmal erstaunlich nahe. Auch der Blick auf die Antike entzückt mich manchmal als sähe man aus einem finstern Alpental hinaus, hinüber auf zartbesonnte ewige Inseln. Ich müßte verzweifeln, dächte ich nicht, daß wir auf finsternem gewundenem, blutigen Pfad einem neuen Humanismus dennoch uns entgegen tasten.

———

Freitag abends [29. September 1916]

Mein lieber Herr von Nostitz
Aus einer Arbeit und Ruhe, um die ich viel gegeben hätte, wäre sie mir noch ein paar Tage länger vergönnt gewesen, durch eine Depesche zu den letzten Proben von »Ariadne« hercitiert, erhielt ich heute 28. in Aussee, auf den Bahnhof nachgebracht, Ihre Zeilen vom 24.
Verzeihen Sie wenn ich in Kürze einen Ausweg suche.
Noch in letzter Stunde von der gegenüber Autoren, besonders einheimischen, äußerst wenig wohlerzogenen Intendanz, an die ich seit 10 Jahren nie eine Bitte, nie einen Wunsch richte, eine Loge »erbitten«, ist mir, darf ich es offen sagen, mehr als peinlich – wogegen für Sie bei der durchaus höfisch-bureaukratischen Orientierung aller dieser Leute das Aufheben des kleinen Fingers genügt, um zu bekommen, was Sie wollen.

Ich möchte Ihnen aber, da Sie schon einmal den Wunsch an mich gerichtet haben, jedenfalls behilflich sein, obwohl natürlich der bloße Anruf durch einen Ihrer Secretäre bei der Generalintendanz reichlich genügt hätte.
Wollen Sie also bitte sich des beigeschlossenen Briefes bedienen und diesen vielleicht zugleich mit einer Karte, die recht groß und

breit Ihren Titel enthält, im Bureau der Generalintendanz I
Brämerstraße 14 abgeben lassen!
Herzlich der Ihre   Hofmannsthal

Bitte den Brief nach Kenntnisnahme zukleben!

                                        Rodaun, 2. x. mittags [1916]
Liebe gnädige Frau
Ihr kleiner Brief hat einen Unterton von Traurigkeit, wenn ich
nicht irre. Ist es Wien, das Sie traurig macht? (was ich gut verstehen würde) – oder die Zeit, die freilich bitter, finster und
eisern ist.

Ich kam vorgestern an – war wie vor den Kopf geschlagen von
der Rede von Lloyd George, kam auf die Proben von Ariadne,
hübsche Klänge, aber gräuliche Farben, bitte sagen Sie es
Kessler, der dafür so sensibel ist, ich kann nichts dafür, kann hier
in Wien in Theaterdingen keinen Einfluß ausüben, kann und will
nicht, will und kann nicht.

Ich höre, glaube zu verstehen, daß Kessler in diesen Tagen Sie
besuchen kommt, auf seinem Wege nach Bern vermutlich.

Ich bin, halb und halb, auf dem Wege nach Stockholm und Kristiania für ein paar Wochen.

Ich wünsche mir, Sie beide und wünsche mir H. K. zu sehen,
letzteren auch hoffentlich wieder einmal im tête à tête, seine Ansicht über vieles interessiert mich höchlich. Hoffentlich ist er nicht
sehr niedergeschlagen, ich bin es momentan sehr, habe aber ziemlich viel Auftrieb in mir immer wieder. Am Abend des 4ten wird
man sich flüchtig sehen, ich fahre dann wieder heraus –

Wollen Sie mir was vorschlagen, so ist die beste Stunde zum Telephonieren früh 9ʰ–10ʰ, aber bitte verzeihen Sie, wenn ich nicht immer kann.

Der Ihre   Hofmannsthal

15. X. [1916]

mein lieber Herr von Nostitz

Darf ich Sie noch einmal quälen, daß Sie mir dies Päckchen mit dem nächsten amtlichen Couvert nach Leipzig durchbringen?

Nun ferner: ich spreche Samstag 21ten in der Urania über »Österreich im Spiegel seiner Dichtung«. Karten, soviel ich weiß, täglich an der Kasse der Urania. (Man war bis jetzt nicht so höflich, mir welche für meine Freunde anzubieten.) Ich wäre sehr froh wenn Sie und Frau von Nostitz Lust hätten, zuzuhören. Ich werde vielleicht doch das eine oder andere sagen können, das Ihnen neu oder in neuem Zusammenhange erscheint. Auch wenn Sie wen immer, der Ihnen interessiert schiene, mitnehmen, ist es mir ein Vergnügen, ich fürchte daß die Plätze bald vergriffen sein werden und mit den insipidesten, ungeeignetsten Leuten besetzt, so geht es in Wien meistens – ich wollte aber diesem ganz nützlichen Institut einmal den Gefallen tun.

Ich muß morgen und übermorgen in die Stadt, mit verschiedenen Menschen verschiedenes sprechen. Mittwoch, und sicher Donnerstag hoffe ich heraußen zu sein. Vielleicht machen Sie uns Donnerstag beide die Freude und kommen zum Tee heraus. Es geht ein Zug ab Südbahn ein paar Minuten nach 3ʰ mit Anschluß bis Rodaun (umsteigen in Liesing)

Herzlich der Ihre   Hofmannsthal

Rodaun, 22. x. 1916

Lieber Herr von Nostitz
ich kann inliegenden Brief mit Beilagen seines Umfanges wegen
nicht der normalen Post anvertrauen.

Darf ich Sie noch einmal beschweren?

Belästigt es Sie aber im Geringsten (ich kenne nicht den Umfang der
Ihnen zur Verfügung stehenden Erleichterungen) so bitte geben
Sie mir ihn Mittwoch wieder, ich schicke ihn dann durch Hoyos.
Der Ihre herzlichst

Hofmannsthal

Bad Aussee, Obertressen 14   5. VIII. 1917

Mein lieber Herr von Nostitz
daß ich Sie, und Frau von Nostitz, oft und mit freundschaftlichem
Denken umfasse, worin Ihre nächsten Sorgen und Hoffnungen
mit inbegriffen sind, kann Ihnen wenig bedeuten, wenn ich Ihnen
zu träge oder zu geschäftig scheinen muß, um meinen Gedanken
Ausdruck zu geben.

Lassen Sie wenigstens sagen, daß es Trägheit nicht ist, weder des
Gemüts noch der Feder. Ich mache seit Monaten eine Zeit gesteigerter innerer Lebendigkeit durch: es ist wie eine Flamme, die
alles mitergreifen und auch zur Flamme machen will. Auf diese
Glut fielen die böhmischen Eindrücke im Juni noch erregend und
ich habe alles zu tun, um mich einigermaßen zu behandeln, wie
der Köhler seinen Meiler, sonst verbrennt alles in sich und es gibt
keine Resultate.

Des einen ernst-freundschaftlichen Gesprächs mit Ihrer Frau gedenke ich gerne: es hat sogleich wieder den reinen Kontur Ihres

Wesens bei mir hergestellt. Ich werde nun zu der neuen Situation, Sie in Wien zu wissen, auch wieder meine Form gewinnen, und mich so an Ihrer Gegenwart zu erfreuen wissen als ob es wo anders wäre.

Daß ich im Juni nicht mehr erschien, hatte den Grund daß ich wußte, Sie hatten den Besuch Ihrer Schwiegermutter.

An den schwülen Tagen dachte ich an Baden mit rechtem Mitgefühl. Nun ists ja kühler.

Über die Situation will und kann ich kein abgerissenes Wort sagen: mir ist mehr und mehr das Glück zu teil geworden diese Dinge als europäische Angelegenheit mit dem Gefühl des Europäers zu fühlen. Mir ist dabei manchmal ganz isoliert, ganz geisterhaft zu mut; aber ich habe mir vielleicht durch drei qualvolle Jahre dieses eigentümlich elysische von der Erde gelöste Gefühl verdient.

Freundschaftlich der Ihre   Hofmannsthal

P. S. Sehen Sie Robert Ehrhardt zuweilen? Es müßte nicht schwer sein, da er ja eigentlich in Baden, bei seiner Mutter, die eine charmante Frau sein muß, lebt.

R. 3. XI. [1917]

Lieber Herr von Nostitz

verzeihen Sie mir wenn ich Sie mit einer Sache beschwere die ebenso belanglos als wenig amusant ist und mir in einem Augenblick, wo ich gar keine Zeit habe, auf den Kopf fällt wie ein (allerdings nicht sehr gewichtiger) Dachziegel. Herr Blei sandte mir heute früh diesen Brief. Da es kein häßlicher Brief ist, und er doch au fonds ein armer Teufel, so habe ich gutmütig und menschlich geantwortet, und lege eine Copie meiner Antwort bei. Dies darum: da dieser Blei eben ein Wichtigtuer, ein gelegentlicher

Lügner und ein Klatschmaul ist, so möchte ich nicht, daß er erzählt (und wenn er es dreimal erzählt hat, es auch glaubt) daß er
mich durch einen scharfen Brief »gestellt« hat, und ich mich bei
ihm entschuldigt hätte. Das Ganze ist eben so peinlich, weil ich
ihn, social gesprochen, zu jener crapule rechne, die man sich um
jeden Preis vom Leibe halten muß – (unter welcher crapule ja
gelegentlich, wenn man Pech hat, ein Verwandter, oder wer immer zu rechnen sein kann) daß er mir aber menschlich leid tut,
wenn er mich zwingt, ihm meine Ansicht über ihn ins Gesicht zu
sagen, wie ich es ihm anbieten mußte.

Bitte seien Sie mir nicht böse, daß ich Sie in diese Sache hineinziehe: aber das ist das Absurde an der Sache: ich habe, so viel ich
auch nachdenken mag, außer Ihnen niemand im Gedächtnis, der
zugleich ein Bekannter von Blei wäre, wenigstens nicht unter den
mir näher stehenden oder befreundeten Menschen, wo das ominöse Wort »warum« am Platze wäre.

Vielleicht finden Sie eine mögliche Form – ich habe gar keine routine in der Behandlung solcher Dinge und Sie ja ebenso wenig! –
ihm – er scheint ja manchmal bei Ihnen zu erscheinen – (und ich
verstehe ja bis zu einem gewissen Grade daß Sie es für möglich
und für Ihre Pflicht halten, Menschen aller Art zu sehen) – zu
sagen, daß Sie die beiden Briefe in der Hand haben, und ihn zu
fragen, wie er sich die Sache weiter vorstellt, ich habe eigentlich
noch nie etwas so Dummes erlebt, weil ich wirklich äußerst vorsichtig bin, und dazu bin ich todmüde von ernsteren u. schwierigeren Dingen und habe nicht die physische Kraft, mich länger
als während die Feder läuft, mit dieser Absurdität zu beschäftigen.
Ich bitte Sie herzlich, sich mit einer Antwort auf diese Zeilen
nicht zu beschweren – und die ganze Angelegenheit auch in Ihren
Gedanken das stricte minimum zu concedieren.

Der Ihre, wie stets   Hofmannsthal

PS. Gerty, der ich alles dergleichen zu lesen gebe, weil sie soviel Tact als wenig Dialectik hat, meint ich müsse beide Briefe, diesen da und den an Blei, umschreiben, weil Sie auf den Gedanken kommen könnten, ich hielte es für möglich daß Sie und Frau von Nostitz an Blei »in guter Absicht« etwas weitergesagt hätten – dies scheint mir beides, die Möglichkeit des factums, und die Möglichkeit Ihrer Supposition daß ich das factum für möglich hielte, so absurd, daß ich wirklich nicht darum zwei Briefe umschreiben möchte. – Indirect geht die Sache ja fast sicher auf Frau von Nostitz zurück, es gehört zu ihrer absoluten candeur in diesen Dingen daß sie absolut nicht vorsichtig ist, aber jeder Mensch hat die Fehler seiner Vorzüge, wenn man dies überhaupt einen Fehler nennen will. Ich bitte Frau v. N. auch vielmals, mir n i c h t s über diese Sache zu schreiben!

20. 1. [1918]

Lieber Herr von Nostitz

inliegend für Sie und Frau von Nostitz

1.) Copien von Briefen Pannwitz-Schröder

2.) ein älterer Brief von Borchardt an mich (unicum!)

3.) ein sehr guter Aufsatz von Foerster.

Bitte die Briefe von Pannwitz-Schröder in Couvert, eingeschrieben, an Frau Irene Hellmann

IX. Günthergasse 1.

Den Brief von Borchardt bitte an mich R o d a u n (oder ihn mir gelegentlich selbst geben.)

Ferner bitte ich Sie vielmals wenn es nicht zuviel Mühe macht, für mich nochmals das Schema: Österreicher – Preuße in 3–4 Exemplaren copieren zu lassen!

Ihr Hofmannsthal

Lieber Herr von Nostitz

darf ich so lästig sein, an »die Seeschlacht« von Göring und an die
Abschrift meines Schemas »Österreicher – Preuße« zu erinnern?

Ich hoffe Sie kommen in der ersten Juniwoche wieder heraus.
Inliegend der gewünschte Brief aus Prag. Der Schreiber ist Intel-
lectueller, steht aber auch in der Industrie an leitend-beratender
Stelle, ist äußerst cultiviert, völliger Teilnehmer an der deutschen
Cultur.

Viele freundliche Gedanken und Grüße   Ihr Hofmannsthal

Rodaun, den 3. XII. 18

Liebe gnädige Frau

vor Monaten – es sind erst Monate und es erscheint wie Jahre –
sandten Sie mir freundliche gute Zeilen, wovon das Nachgefühl
mir durch alle die Zeit lebendig geblieben ist.

Sie waren für einen Augenblick glücklich, befanden sich in der
Landschaft Ihrer Kindheit und Ihrer Mädchenjahre, Sie fühlten
für Tage oder Wochen die schöne unverlierbare Einheit unseres
innersten Daseins – wogegen alles Äußere wie grausiges und
kaum deutbares Stückwerk erscheint – und in dieser Gemüts-
verfassung erinnerten Sie sich meiner als eines Freundes.

Ich war Ihnen unendlich dankbar für diese Regung- in der Ihr
ganzes Wesen lag – und bin es heute.

Es ist ein Geschick über uns alle gekommen, das niemand vor-
aussehen konnte und doch ist es, als hätte man in einem Winkel
seines Innern beständig Ähnliches geahnt. Die für Sie nächsten

Menschen sind in dieses allgemeine Geschick in einer patheti-
schen Weise hineingerissen und ich kann ahnen, wie es Nostitz,
dessen ich oft und treulich gedenke zu Mute sein mag. Von
Ihnen wie von ihm weiß ich, daß Sie nicht einen Augenblick sich
selbst verlieren, nicht einen Augenblick sich verändern können.
Lassen Sie mich heute jene Zeilen vom Mai erwidern, im gleichen
Sinn, und Ihnen sagen, daß ich heute, in einem Stadium, dem
kaum der Verstand, noch weniger das Gemüt gewachsen [sein]
wird, mit reiner Freude den Tag vorauslebe, an dem wir einander wieder begegnen und uns des Unzerstörten und Unzer-
störbaren wechselweise erfreuen.

Der Ihre   Hofmannsthal.

Durch Courier   Rodaun, 23. I. 19

mein lieber Nostitz
meine Gedanken gehen oft zu Ihnen. Ich hoffe daß Frau von Nostitz einen Brief bekommen hat, den ich vor 3–4 Wochen nach
Nauheim richtete. Frau Z. berichtete mir von einem empfangenen Brief worin gewisse Wünsche angedeutet sind und der Gedanke, daß die hiesige entscheidende Stelle die Sache in Fluß
bringen müßte.
Ich habe auf eigene Verantwortung die Sache aufgegriffen und sie
gestern – nur als von mir kommend – mit Schüler besprochen,
der wie Sie wissen der handelspolitische Sectionschef des Min. d.
Ausw. ist und, besonders in Personalfragen und technischen Fragen, großen Einfluß auf Dr. Bauer hat. Er wünschte sehr zu wissen,
welches gegenwärtig Ihre Verwendung, was auch mich höchlich
interessiert. Er meinte 1.: daß es zunächst höchst wünschenswert
wäre wenn Sie als sächsischer Vertreter herkämen (auch Baiern
hat einen neuen Vertreter hergesandt) – weil wegen der nord-
böhmischen Probleme mit Sachsen wichtigste gemeinsame

Interessen entstanden sind. 2.: Daß sich für die Dauer des Anschluß-
prozesses – welchen Prozeß er auf 3–5 Jahre berechnet – er die
Function eines Vorsitzenden der diesen Anschluß durchführenden
Commission für wichtiger ansieht als die eines deutschen Botschafters in Wien, und daß Sie ihm für diese Function als der
praedestinierte Mann erscheinen. Er hofft übrigens, circa 1. III.
nach Berlin zu kommen. Bitte antworten Sie mir auf dem gleichen Weg (durch Wilhelm Stolberg)

Der Ihre, in Freundschaft   Hofmannsthal

Rodaun, 14. II. 21

Liebe gnädige Frau
ein kurzer Brief zuweilen spricht den ganzen Menschen aus, gibt
dem Empfänger das ganze Gefühl einer wesenhaften Gegenwart,
unverlierbar, so lange nicht der Tod dazwischen tritt, nein unverlierbar auch über den Tod hinaus.

So ging es mir mit dem Brief den Sie nach dem »Abenteurer«
mir geschrieben haben. Da waren Sie, Sie ganz, Sie waren mir
vielleicht nie im Leben so nahe. Ich danke Ihnen sehr. Sie wissen
ja auch, daß ich Sie und Alfred nie verlieren kann.

Ihr Hofmannsthal

Sehen Sie Gustav Richter zuweilen? Was für ein lieber Mensch.
Ich grüße ihn sehr.

Bad Aussee, den 24. IX. 21.

Liebe gnädige Frau
durch Ihren Brief sind Sie mir im Augenblick ganz nahe – ich antworte sogleich, um nach Kräften die Frage wegen Oswalts Lec-
türe zu beantworten. Raimund, der jetzt wenig von Büchern wis-

sen will, war mit 13, 14 ein lesendes Kind, fast über sein Alter, aber Oswalt ist dies noch weit mehr, also habe ich einen Anhalts-punkt.

Raimund las damals zwei Sommer anhaltend in der römischen Geschichte von Mommsen, langsam und mit großem Interesse, er las das Buch fast durch (die ersten zwei Bände) und hatte viel da-von, so auch von Curtius' griech. Geschichte. Ich weiß nicht, ob dies Oswalts Fall ist. Aber vielleicht sagen ihm die Freytag'schen »Bilder aus der deutschen Vergangenheit« zu. Meine »deutschen Erzähler« sind gleichfalls alle sicher ihm zugänglich; ebenso der Michael Kohlhaas. Aber ich fürchte, ich nenne, was er längst kennt! So auch mit den Dramen: Schiller, Grillparzer, Hebbel, Kleist. Von Shakespeare – liest er Englisch, dann in der Ursprache – Julius Caesar, Coriolan, Sommernachtstraum, Kaufmann zunächst.

Aber ich müßte noch mehr seinen penchant kennen, man ist mit 13 Jahren oft ein so besonderer Mensch.

Die Erzählungen von der Lagerlöf, vor allem die Legenden – aber vielleicht auch der »große Krieg« von der Huch. Dickens? (Oliver Twist, David Copperfield?) Turgenyew, vielleicht bald: das Ta-gebuch eines Jägers. Es sind das ja lauter ganze Welten die sich auftun. Die Schröder'sche Odysee hat er wohl längst gelesen?

Bitte schreiben Sie mir doch eine Zeile ob die Ratschläge brauch-bar waren – oder ob ich neue versuchen soll, und ob Sie weiter-hin in Berlin sind oder wo. Ich verharre arbeitend hier bis Ende October.

Der Ihre, herzlich,   Hofmannsthal

Berlin Wilhelmshagen, Bismarckstraße [Herbst 1922]

Lieber Freund,

Es gibt Tage, an denen man besonders bereit ist. So ging es mir gestern, als ich Ihr großes Welttheater zur Hand nahm.

Am Morgen fühlte ich mich nicht ganz wohl und hatte lange aus meinem Bett den Zug von rosa Wolken am blauen Himmel verfolgt. Dann zog ein riesenhafter Raubvogel mit ausgebreiteten Flügeln langsam durch alle diese lieblichen Farben. Ich weiß nicht, warum mich sein Vorüberziehen so besonders ergriff. Dann las ich das große Welttheater und die ungeheure Gestalt des Bettlers packte mich tief. Diese Wendung aus dem Haß heraus, dieses plötzliche Darüberstehen und sich Auflösen ist so tief ergreifend. Es war die Bewegung dieses großen Vogels, der durch den Himmel zog und alles weit unter sich läßt.

Ich danke Ihnen wie so oft. Wie traurig, daß wir die Aufführung nicht sahen, die herrlich gewesen sein muß.

Können Sie nicht einmal zu uns kommen und einige Tage bei uns wohnen? Berlin ist von hier so leicht erreichbar. Wundervoll ist die Landschaft. Wir hoffen, wenn die pekuniäre Katastrophe uns nicht verhindert, die Volkshochschule im Januar zu beginnen. Sie entspricht diesem Plan, den Sie früher oft mit meinem Mann besprachen. Vielleicht könnten Sie ihm mit der Zeit auch helfen. Nur erst muß es Gestalt gewinnen.

Gustav Richter war vorgestern bei uns, und obwohl ihn der alte Zauber noch umgibt, doch verbittert über die Zeit. Sollte man nicht immer das Unverrückbare spüren, trotz aller äußerer Verwandlungen und so die Hoffnung, die Kraft nie verlieren können, wenn wir uns mit dem immer relativ Guten des Lebens abgefunden haben. Rührend war das Begräbnis von Cornelie Richter. Die ganze Luft »Alt Berlins« umwehte einen. Grünfeld spielte noch einmal und der Chor sang »Über allen Wipfeln ist Ruh«. Sie soll übrigens die letzten Wochen noch ganz klar gewesen sein. Ich habe sie leider nicht mehr gesehen.

Nun leben Sie wohl. Wie gern würde ich einmal wieder mit Ihnen reden obwohl das reden zwischen uns wohl auch in der Ferne nie ganz aufhören kann.

In alter Treue   Ihre Helene N.

Berlin Wilhelmshagen, 1. Jan. 1923.

Lieber Freund

An diesem Morgen blättere ich in Ihren Briefen und finde Wünsche von Ihnen nicht für die Feste sondern für die »geheimen Veranstaltungen des Lebens«, wie Sie sagen. Immer wieder fühle ich, wie diese »Veranstaltungen« unseren Zusammenhang bestimmen, der unabhängig von Trennung, Schweigen und Alter immer bestehen wird, vielleicht in dem letzten Jahrzehnt noch weniger im Wort. Trotzdem würde ich mich freuen, wenn ich wüßte, daß ein Brief von mir ankäme. Erhielten Sie z. B. den über das »Große Welttheater«? Wir sahen Ihre Tochter Christiane und hoffen sie noch öfter zu sehen. Wir verlebten gute Stunden mit ihr und freuten uns über diese Verbindung mit Ihnen.

Wir hoffen, daß die Volkshochschule dieses Frühjahr beginnen kann, und es wäre, glaube ich, ganz in Ihrem Sinn, eine Zeitlang dann hier bei uns zu wohnen und diese Fühlung zu bekommen von der wir so oft sprachen und die wir uns eigentlich in Pillnitz vorgestellt hatten. Es wäre wirklich s e h r schön, wenn Sie sich dazu entschließen könnten, dann etwa 14 Tage hier bei uns zu verbringen. Ich glaube, man kann diese Dinge, die sich entwickeln werden, nicht beschreiben, man müßte sie zusammen erleben, und die Schwierigkeiten sind ja jetzt auch so groß, daß man immer erst an die Tatsache glauben darf.

Denken Sie, wie merkwürdig, auch unter Rodins Briefen fand ich Wünsche zum Neuen Jahr. Wie wir doch wirklich in zwei Jahrhunderten leben, und Ihre Briefe beschreiben eine so schöne, bunte Zeit! Wenn auch das Leben diese Buntheit nie verliert, so sind recht viele der alten Freunde nicht mehr, Bodenhausen, Heymel.

Ich las grade über diese Tage des Rosenkavaliers, die so voller Glanz und Duft waren. Unser kleines Souper in dem hübschen hellgrünen Raum. Die Oper voller Leute aus aller Welt, London, Paris, Rom, und diese Feste nachher, die nicht aufhören wollten, denn über allem lag der Duft des auf der Bühne Erlebten, das so voller Süßigkeit und sanfter Melancholie war.

Leben Sie wohl und schreiben Sie ein Wort, wenn Sie können. Ich erlebe viel Merkwürdiges, kann es aber in Worte nicht fassen. –

Ihre Helene N.

Rodaun, 13. 1. 23.

Ja, gute Freundin Helene, Ihre Briefe kommen immer zu mir, es ist der gekommen den Sie nach dem Lesen des »Welttheaters« geschrieben hatten und es fanden diese letzten Zeilen ihren Weg zu mir – und Alles ist immer wohltuend und erhellend – aber es bedurfte auch dieser Zeichen nicht: Sie und Alfred sind mir immer lebendig, immer nahe.

Sie haben Christiane gut und freundlich aufgenommen, sie hat es sehr empfunden, bleiben Sie so zu ihr. Das junge Wesen hängt an den Menschen die einer Generation mit mir sind: die Erinnerung an Eberhard Bodenhausen, dann Schröder, Borchardt, Max Reinhardt, Sie beide – wie wir uns alle zusammengefunden haben, da sieht sie Menschen und menschliche Beziehungen, da fühlt sie eine Welt – möge sich ihr in der eigenen Generation, in der sie ja ihr Schicksal austragen muß, auch eine Welt aufschließen. Alles was Sie ihr Freundliches tun, ist mir, als hätten Sie es mir getan.

Liebe Helene, ich denke das Frühjahr wird mir in manchem leichter werden, ich will alles tun was ich kann um mich dem Norden und den mir teueren, unabweisbar verbundenen Existenzen wieder näherzubringen – wenn ich irgend kann werde ich zu Ihnen kommen – dazu aber bedarf es auch daß die Natur wieder freundlicher sei.

Ich habe durch die Bremer Presse ein Buch an Sie und Alfred schicken lassen, worin ich soweit meine geringen Kräfte reichen, auch versuche die Nation in sich zu befrieden und zu erleiden. Es ist eine Auswahl deutscher Prosastücke aus der älteren Zeit, unter dem Namen »Deutsches Lesebuch«. Ich dächte es könnte auch Oswalt schon einige Freude machen.

Von der Zeitschrift erscheint demnächst das zweite Heft und ist recht als ein geistiges Haus gemeint. Ich hätte so gern einmal in der Zeitschrift ein Stück Prosa wie es Gustav Richter vor Zeiten aufschrieb. Das wäre mir am liebsten: eine Zeitschrift der Nicht-schreibenden – denn die sinds die wenn sie schreiben das schreiben was zu lesen der Mühe wert ist. Können Sie ihn nicht bewegen daß er sich vor ein Blatt Papier setzt und was aufschreibt? – Alles Liebe, in Freundschaft

Hofmannsthal

PS. Noch eines: ich bedürfte so sehr eines nicht mehr findbaren Buches, welches heißt: The Bacchic and Eleusinian mysteries, by Samuel Taylor. Es soll Ihnen seinerzeit in Wien die Frau Jacob Wassermanns dieses Buch geliehen haben. Wenn Sie es etwa fänden! und Christiane mitgäben. Es wäre mir von großem Nutzen.

[Berlin, Anfang Februar 1924]

- -

und nie aufhören, in Mensch und Landschaft das Erstmalige zu erblicken, diesen geheimnisvollen Zusammenhang mit dem Hauch, dem Atem der Schöpfung, der durch alles weht, wenn wir es zu erkennen vermögen. Ich möchte Ihnen so gern auch einen Wagen voll Blumen schicken. Ich kann Ihnen aber nur an diesem Tage, der eigentlich schon zurückliegt und doch mir so gegenwärtig ist, danken für das, was Ihre Freundschaft mir im Leben gab und was sich garnicht nur in Gesprächen und Briefen abgespielt hat, sondern in diesen geheimnisvollen Zusammenhängen, die die Ferne nicht berührt und die durch das Vorübergehn der Zeit sich nicht verändern können.

Ein kleines Buch, das bei Kessler gedruckt wird, und in dem ich versucht habe, einige vergangene Stunden ganz skizzenhaft fest zu halten, wird in einiger Zeit bei Ihnen eintreffen.

Ich traf zufällig Max Reinhardt, der mir sagte, daß das »Welt-theater« dieses Jahr aufgeführt werden soll. Wie gern würde ich kommen. Wir müssen es möglich machen. Können Sie uns zur Zeit wissen lassen, wann es sein wird?

Christiane kommt am Sonntag heraus, und zeigt immer eine warme Freude, uns zu sehen. Das liebe ich sehr. Wie schön, daß Burckhardt bei Ihnen ist. Grüßen sie ihn bitte sehr, und ich dächte noch immer an die guten Stunden mit ihm in Wien.

Alfred will selber schreiben. Hoffentlich haben meine unbeholfenen Worte das ausdrücken können, was ich fühlte. Alfred hält jetzt viele Vorträge in Berlin, die die Menschen erwärmen.

In alter Treue

Ihre Helene Nostitz

Rodaun b. Wien 16. VI. 24

Lieber Alfred

ganz unbegreiflich ist mir der Anfang Deines Briefes, und der Anlaß zu ihm, und wessen Du Dich da anklagst, und womit Du Dich da abquälen konntest, und gar noch monatelang! – und wie Du da das völlig Äußerliche, wie dies Geburtstagsdatum und die Bezeigung einer Aufmerksamkeit so conventioneller Art, vermischen kannst mit dem Ernst unserer in reifen Jahren geschlossenen Freundschaft – dies alles ist mir völlig unbegreiflich – und dennoch ist mir der Brief sehr lieb, und ich möchte um alles nicht, daß er nicht wäre geschrieben worden. Denn so wie er nun geschrieben ist, in der mühsamen Überwindung einer schweren und dem, der sie gewahrwird, rührenden und ehrwürdigen Gehemmtheit, in einem Zu-viel von Bescheidenheit, das schließlich den Andern beschämen muß, in einer großen männlichen Herzensgüte und Treue, malt er ganz Dich, ganz den Menschen, dem begegnet zu sein mir immer lieb war, von Jahr zu Jahr aber lieber und wertvoller wurde.

Denn siehst Du – uns Österreicher und Euch Deutsche bindet freilich die eine Sprache – und die Sprache ist viel, ja in gewissem Sinn ist sie alles, und entscheidet über das geistige Geschick des Menschen – und je älter ich werde, desto mehr erkenne ich dies und hege mehr und mehr Ehrfurcht vor ihr – aber innerhalb der gleichen Sprache trennt uns vieles und es hält die Meisten von uns ein Etwas auseinander das sie gar nicht erkennen noch benennen können – und am meisten die, welche von dem Auseinanderhaltenden nicht wissen; die sind gar weit voneinander: denn die das Trennende erkannt haben, die sind wenigstens untereinander in Berührung gekommen.

Mir aber ist um das dreißigste Lebensjahr das Gute zuteil geworden, daß mir einige Menschen begegnet sind und meine Freunde geworden sind, alle aus dem Deutschland nördlich dem Main, an denen ich habe mit dem Gemüt erkennen können, was das ist, deutsches Wesen. Ja das Heimlichere und Tiefere am deutschen Wesen, das eigentliche Deutsche, wie es in den Dichtungen und Sprachdenkmälern ausgeprägt ist, das was bei einem Goethe eigentlich deutsch ist – vieles an ihm ist europäisch, und vieles ist Geist des XVIII. Jahrhunderts – alles dies habe ich vermöge dieser lebendigen Berührung, die mein Herz mitsprechen machte, ganz anders zu erkennen vermocht als ich es hätte aus den Büchern allein gewahren können. Deinen Namen nenne ich hier in mir, wie den von Eberhard Bodenhausen und den von Rudolf Schröder. Nicht gar sehr aus unserer Zeit schienet Ihr mir, die Ihr mir entgegentratet, zu sein – aber völlig aus unserem Volke – aus dem Stoff, der die Zeiten überdauert. Das völlig Gerade, das

Treuherzige und Treue, das tief und immer Ehrfürchtige, das doppelt Beheimatete: im Wirklichen und anderswo – das Unweltlich-Weltliche, das rastlos Strebende, doch Bescheidene – eine herrliche Ahnung von deutscher Art ist mir aus dieser Begegnung aufgegangen. Um wie viel ärmer – ja fast um das Beste meines Lebens ärmer hätte ich bleiben müssen, wären mir unter den lebenden Deutschen nur Menschen begegnet vom Gepräge der meisten Professoren oder Politiker; Menschen vom Gepräge Kippenbergs oder Ernst Hardts; nur Menschen wie [. . .], wie [. . .] wie Kühlmann – (die ich alle nicht verwerfen will – aber! –) oder Jünglinge, wie sie mir nun in dem eigen zurückstoßenden (und vielleicht wieder so specifisch »preußischen«) Briefwechsel des von der Marwitz mit Götz Seckendorff entgegentreten. Nein, da ist mir wirklich ein großes Glück zuteil geworden – und daran kann es nichts ändern, daß Eberhard tot ist. Wir leben ja mit den Toten wie mit den Lebenden.

Helenens Brief ist damals gekommen, aber es kamen da so viele Briefe, ich war des Antwortens und auch sogar des Aufnehmens müde – so ließ ich ihn bei Seite legen – ich werde ihn heute Abend zum ersten Mal lesen und so mit euch beiden beisammen sein.

Ich schicke Dir die Festschrift, die Borchardt zu meinem Geburtstag herausgebracht hat. – Ich bin in Bezug auf solche öffentlichen Äußerungen, die mich betreffen, fast krankhaft empfindlich, und so hat mich zuerst der großsprechende Ton ganz niedergeschlagen. (Ich rede von dem offenen Brief an mich.) Aber lies ihn bitte: er hat doch eine unvergleichlich großartige Weise das Geistesgeschichtliche darzustellen – und wie er auf Österreich kommt, da hat er, scheint mir das Entscheidende gesagt.

Zugleich schicke ich das neue Heft meiner Zeitschrift. Der Bericht über eine (im Auftrag des Roten Kreuzes unternommene) kleinasiatische Reise von Carl Burckhardt, der Euer oft und

warm gedenkt, wird Euch hoffe ich, in mehrfachem Sinn Vergnügen haben [!]. – Leb wohl und sei für Deinen Brief noch einmal
innig bedankt.

In Freundschaft und Treue   Dein Hugo H.

[Ansichtskarte]   Fez. 22. 3. 1925

Hier bewahrt der Orient sein volles strenges Geheimnis. Die Jahr-
hunderte zählen für nichts. Man ist im Granada des 13ten Jahrhunderts.

Wie gerne würde man solche Tage mit den liebsten empfänglich-
sten Freunden teilen! In treuen Gedanken

                                             Hofmannsthal

                              Rodaun, 28. IV. [1925]

mein lieber Alfred

eben über Paris, Basel, Stuttgart aus Marokko zurückgekehrt
(welch ein Anfang, er könnte aus der Feder Kesslers sein!) finde
ich hier Karl Rohans neue Zeitschrift und lese darin mit wirklich
unendlichem Vergnügen Dein unvergleichlich tact- und würde-
volles entrefilet über das Buch von Unruh, das in Frankreich
mehr Ärger hervorruft als es verdient. Ich habe, glaub ich, nie
noch Gedrucktes aus Deiner Feder gelesen; um so mehr freut
michs daß dies so ganz dem Begriff von Deiner Person entspricht,
den ich in mir trage.

Die Wahl Hindenburgs ist ein merkwürdiges Zeitereignis von
dem ich mir im Ganzen mehr Günstiges auch für Europa ver-
spreche, als Ungünstiges. Das ressentiment dieser Parteien, wenn
sie in der Minorität geblieben wären, wäre, glaube ich, für die
precäre Stabilität Europas noch gefährlicher gewesen! Hoffentlich irre ich mich nicht in dieser Auffassung.

Eine schöne Folge – für mich die schönste – wäre es, wenn sich dadurch für Dich die Möglichkeit einer Deinem geistigen Rang angemessenen neuen Tätigkeit ergäbe.

In Treue und Herzlichkeit

der Deine, Eure Hofmannsthal.

Rodaun, 14. v. 1925

Ich erlaube mir Dir, lieber Alfred, mit der gleichen Post ein Heft der Revue de Genève zu schicken, um willen des Aufsatzes von P. Viénot über Deutschland den ich einen Versuch von seltener Ernsthaftigkeit u. candeur finde, französischerseits dem Sinn der deutschen schwierigen Evolution nahezukommen. Es würde mich sehr freuen, von Dir zu hören, ob ich den Wert des Aufsatzes nicht aus Sympathie für den noch jugendlichen, aber ernst bestrebten Verfasser überschätze. Ich erbitte das Heft zurück. Treulich

Dein Hofmannsthal

Bad Aussee 17. XI. 27.

Liebe Helene, es war eine große Freude, Sie nach Jahren wieder einmal in der Atmosphäre Ihres eigenen Hauses wiederzusehen. Wie ganz Sie die Gleiche geblieben sind – nur vielleicht mit noch mehr Ruhe und Freiheit in Ihrem eigenen Wesen sich bewegend. Auch Alfred ist der gleiche Mensch, den mich die Jahre mit immer größerer Wärme zu umfassen gelehrt haben. Auch er hat an Freiheit, der Welt gegenüber, gewonnen (diese brauchten Sie nie zu gewinnen, sie war Ihnen von Geburt an gegeben.) Er ist beredter geworden, und das gleiche hohe Verantwortungsgefühl beseelt ihn, wie immer.

Scheler ist ein eigentümliches Phänomen. Die Erscheinung sagt, man befinde sich in der Gesellschaft eines nicht gewöhnlichen Menschen. Sein Gespräch gibt nicht viel dazu, nimmt eher ein Weniges davon weg. Ich habe den Eindruck eines großen Opportunismus. Er will sich mit gewissen Sommitäten gut stellen. Dabei hat sein Urteil im Anerkennen etwas zu Billiges. (Er könnte auch leicht und ungerecht verwerfen, fühlt man.) Man kann nicht gut von Freud sagen, er erinnere an Aeschylus das ist absurd.

Dr. Würzbach gefiel mir diesmal besser als in der Münchener Gesellschaftsatmosphäre, in der Geistiges gar zu deplaciert wirkt. In Berlin wird er vielleicht ganz an seinem Platz sein.
Ich hoffe wirklich, im Winter für ein paar Wochen hinzukommen.
In alter großer Freundschaft
Ihr Hugo H.

neue Adresse: Berlin Zehlendorf West, Goethestraße 10
19. November 1928
Lieber Hugo,
Als sehr gutes Omen sehe ich es an, daß am 18ten November, meinem Geburtstag, Ihr lieber Brief in meine Hände kam. Auch die Farben und die Form (denn er hat viel Kenntnis) Ihres Freundes waren belebend und beglückend an dem Tage. So gar keine Richtung ist da zu spüren, so ganz eigen ist dieser Ausdruck. (Pflanzenähnlich sind seine Menschen.) Stiller und vielleicht weniger »genial« als Kokoschka seiner, aber ebenso ehrlich. Oswalt und ich, die die Ausstellung mit eröffneten, waren ganz beglückt. Faistauer wird mit mir in Potsdam übermorgen spazieren gehn und dann mit Däubler bei uns frühstücken. Unser neues Haus wird Ihnen gefallen. Das Gefühl, etwas Eignes zu haben, ist auch schön und dann liegt es so still, ohne einsam zu sein. Clauss mit der Europäischen Revue hat auch eine Wohnung

darin gemietet und ist ein sympathisches Mitglied des Hauses, ohne daß wir uns stören. Die unmittelbare Nähe des Sees läßt die Winde, die dieser Tage um das Haus wehn, anders und breiter empfinden, als kämen sie wirklich vom Meer. Auch feiert man ein Wiedersehn mit den Gestirnen. Der Orion steht wieder leuchtend über dem Haus. Der Frost in kalten Winternächten.

Mein neues Jahr fing wunderbar an. Am Abend hörte ich eine Aufführung von Arbeitern in Berlin Ost. Der Glanz des Königtums wurde naiv und rührend auf der Bühne dargestellt in verschiedenen Märchen. Das Publikum in seinen grauen Kleidern in dumpfer Luft schaute wie gebannt auf diese Pracht wie auf ein fernes Wunder.

Alfred fühlt sich auch hier Gott sei Dank wohler, wenn auch der Schmerz über verfehlte Wirkungsmöglichkeiten nie von ihm weichen wird. Das ist die Unerbittlichkeit der Geschichte, die sich nicht auflösen und verwandeln läßt. – Die Kinder sind alle da, beschäftigt und Gott sei Dank wohl. Wir wollen diese Woche Ihren Sohn einladen, den wir lange nicht sahen. Ich bin mitten in meinem Potsdamer Buch und würde Ihnen eventuell gern eine Probe davon schicken, wenn es Sie nicht stört?

Meine Lektüre ist noch immer Proust. Jetzt der letzte Band. Tragisch und schön ist dieses Wiedersehen mit den äußerlich verwandelten Menschen bei dem Tee der Princesse de Guermantes. Und dann wie er sagt, daß sich nichts in ihm verändert, wenn er diesen Salon nach der stillen Nachdenklichkeit der Bibliothek betritt, weil seine innere Welt der Unruhe widersteht. Ebenso wie in einer Landschaft, wandelt er inmitten dieser Menschen. –

Kommen Sie nach Berlin und wann? Ich denke eben an den schönen Nachmittag in Ernstbrunn, wie wir unter dem Baum saßen inmitten der Kinder, nach dem Anschauen der Bibliothek.

Wie immer in alter Treue

Ihre Helene

ANHANG

ANMERKUNGEN

Bei Rechtschreibung und Interpunktion wurden die für Briefwechsel maßgebenden editorischen Prinzipien des Verlages beachtet. Daher wurde die zeitlich bedingte Schreibweise modernisiert, nur charakteristische Eigenheiten der Korrespondenten – namentlich bei H. v. H. die Schreibung der Wörter lateinischen Ursprungs mit ›c‹ statt ›k‹ – blieben erhalten. Offensichtliche Rechtschreibungs- und Flüchtigkeitsfehler wurden stillschweigend berichtigt. Die unorthodoxe Interpunktion wurde nur ausnahmsweise – im Interesse einer besseren Lesbarkeit – verändert.

Von den Briefschreibern unterstrichene Wörter wurden gesperrt, Lücken und Leerzeilen durch die Druckanordnung angedeutet. Zusätze des Herausgebers sind in eckige Klammern gesetzt.

Abkürzungen: B: Erste Buchausgabe; E: Erstdruck; SFV: S. Fischer Verlag, Berlin; die Angabe nach ›Jetzt in‹ verweist auf den betreffenden Band von ›Hugo von Hofmannsthal, Gesammelte Werke in Einzelausgaben‹, herausgegeben von Herbert Steiner, vierzehn Bände, S. Fischer Verlag, Frankfurt am Main, 1945–1959.

Die Ziffern am Rand verweisen auf die Textseiten.

Helene von Nostitz-Wallwitz geb. von Beneckendorff und von Hindenburg (H. v. N.) wurde am 18. November 1878 in Berlin geboren und starb in Bassenheim bei Koblenz am 17. Juli 1944.

Hugo von Hofmannsthal (H. v. H.) wurde am 1. Februar 1874 in Wien geboren und starb in Rodaun am 15. Juli 1929.

H. v. H. 3. 10. 1906   19
Herrn von Nostitz: Alfred von Nostitz-Wallwitz (A. v. N.), 21. 12. 1870–21. 12. 1953. Damals Regierungsrat im sächsischen Innenministerium.
in Ihrem Haus: das Ehepaar N. lebte in einem Haus mit Garten in der Wienerstraße 1, Dresden-Neustadt.

H. v. N. 7. 10. 06   19
mit dem König: Friedrich August III. von Sachsen, 1865–1932. Ihn begleitete A. v. N. auf einer Portugalreise.
den Ödipus: ›Ödipus und die Sphinx‹, Tragödie in drei Aufzügen von H. v. H. E: SFV, 1906. Jetzt in Dramen II.
an Ihre Frau: Gerty von Hofmannsthal geb. Schlesinger, 1880–1959.

Salome: die Oper von Richard Strauss nach der Dichtung von Oscar Wilde. Uraufführung am 9. Dezember 1905 in Dresden unter der musikalischen Leitung von Ernst von Schuch mit Annie Krull als Salome und Carl Burian als Herodes. Burian war ein bekannter Heldentenor; u. a. sang er den Parsifal.

die lieben und schönen Dresdener Tage: über H. v. H.'s Dresdener Besuch heißt es in den ›Aufzeichnungen aus den Jahren 1906 bis 1913‹ von H. v. N. (Neue Zürcher Zeitung, 12. 12. 64): »1906. Gespräch mit Hofmannsthal. Er las mir seine Gedichte vor. Beim Magier [Ein Traum von großer Magie. E: ›Blätter für die Kunst‹, III. Folge, Band 1, Januar 1896. Jetzt in: Gedichte und Lyrische Dramen.) sagte er: ›Dieses Gedicht habe ich in einem großen Glücksgefühl geschrieben. Ich war lange krank gewesen und mußte beim Militär dienen. Ich besaß ein wildes unheimliches Pferd. Es war ein merkwürdiges Verhältnis zwischen uns. Es war wie ein Dämon, dieses Pferd. Eines Tages ging es durch, wir flogen durch die Wälder. Es war schön, denn die Sonnenstrahlen schossen durch die Baumstämme und flimmerten um uns. Ich wußte, daß wir dem sicheren Tode entgegenritten, denn vor uns lag ein Walddickicht mit harten aneinandergepreßten Stämmen. Da, plötzlich besann sich das Pferd und trabte, langsamer werdend, in eine andere Richtung. Wir kamen in ein freundliches Dorf. Ein schönes böhmisches Mädchen trat mir entgegen, den Körper nur mit einem losen Hemde bekleidet. Zum ersten Male nach langen Wochen fühlte ich Hunger; ich bat sie um ein Glas Milch und trank es aus. Dann saß ich noch eine Weile. Der Mond ging auf, und in seinem Schein ritt ich nach Hause. Ich habe ein solches Glücksgefühl wie in den Stunden niemals empfunden.‹ Die Worte sind nicht ganz die gleichen, aber er hatte mir durch diese Bilder ein ähnliches Glücksgefühl mitgeteilt, das ich nicht vergessen möchte.

Wir sprachen über Deutschlands graue Luft der Häßlichkeit, und er meinte, Deutschland wäre eine große dunkle Masse, aus der zeitenweise die Blitze aufleuchteten. Goethe, Beethoven. Aber arbeiten wollen wir wenigen daran, daß es heller Tag werde, wo auch Blumen blühen.«

Auf diesen Dresdener Besuch bezieht sich auch eine Stelle aus dem Briefe H. v. H.'s an Rudolf Borchardt vom 18. 2. 1907 (Hugo von Hofmannsthal/Rudolf Borchardt. Briefwechsel.‹, Frankfurt a. M., 1954. S. 25): »Vielleicht macht Ihnen dies eine kleine Freude: Sie schreiben, schon jetzt, nicht nur für Litteraten, wie Sie in Ihrem Briefe sagen. Auf dem Schreibtisch der anmutigsten und schönsten jungen Frau, die ich in Deutschland kenne lag Ihr Gespräch über Formen, als ich nach Dresden kam . . .«

Harry: Harry Graf Kessler, 1868–1937. Mitbegründer der Zeitschrift ›Pan‹, Gründer und Leiter der Cranach-Presse. Mäzen, mit vielen bedeutenden Künstlern und Politikern seiner Zeit befreundet, nach dem Ersten Weltkrieg für kurze Zeit deutscher Gesandter in Warschau. Er war an der Genese des ›Rosenkavaliers‹ beteiligt, entwarf gemeinsam mit Hofmannsthal die Tanzhandlung für die ›Josephslegende‹ von Richard Strauss, schrieb ›Notizen über Mexiko‹, ›Walther Rathenau, Sein Leben und sein Werk‹ und ›Gesichter und Zeiten, Erinnerungen‹. Posthum erschienen seine ›Tagebücher 1918 bis 1937‹.

H. v. N. Anfang November 1906   21
den Tag: ›Der Tag‹. Berliner Tageszeitung, in deren literarischer Beilage H. v. H. damals öfters Beiträge veröffentlichte.
der Schwestern: ›Die Schwestern‹. Drei Novellen von Jakob Wassermann, über die H. v. H. in dem Essay ›Unterhaltungen über ein neues Buch‹ berichtet hatte. E: ›Der Tag‹, Berlin, 1905. Jetzt in Prosa II.

H. v. H. 23. 11. 06   22
die merkwürdige reizende Tänzerin: Ruth St. Denis (Künstlername von Ruth Denis), geb. 1880 in New Jersey. Amerikanische Tänzerin, die 1906–1909 in Europa auftrat und später den nachhaltigsten Einfluß auf den modernen amerikanischen Tanz ausübte. H. v. H. widmete ihr den Essay ›Die unvergleichliche Tänzerin‹. E: ›Die Zeit‹, Wien, 1906. Jetzt in Prosa II.
der elende Vortrag: ›Der Dichter und diese Zeit‹. E: ›Die Neue Rundschau‹, März 1907. Jetzt in Prosa II.
weil er 2 Monate allein zu Bett gelegen hatte: Kessler war im September bei einer Manöverübung gestürzt und hatte sich eine Knieverletzung zugezogen.
Hauptmann: Gerhart Hauptmann, 1862–1946.
in »Pippa« blätternd: ›Und Pippa tanzt. Ein Glashüttenmärchen in vier Akten‹ von Gerhart Hauptmann. Das Zitat steht im 3. Akt: »*Direktor:* Und wird Ihnen das nicht mitunter langweilig, so allein? *Wann:* Wieso: Se tu sarai solo, tu sarai tutto tuo. Und Langeweile ist, wo Gott nicht ist.«
Das Buch über Kant: Georg Simmel, ›Kant. Sechzehn Vorlesungen gehalten an der Berliner Universität‹, Leipzig, 1904. Vgl. H. v. H. ›Brief an den Buchhändler Hugo Heller.‹ ›Neue Blätter für Literatur und Kunst‹, Wien, 1906. Jetzt in Prosa II.
das Lesen ist eine große Kunst: damit gleichzeitig H. v. H.'s Tagebuchnotiz vom 20. 11. 1906 ›Über die wahre Kunst des Lesens: ihre wahre Grundlage wäre Charakterologie. Sie setzt Reife voraus.‹ In Aufzeichnungen.

Das Buch mit den kleinen Theaterstücken: ›Kleine Dramen‹, Insel-Verlag, Leipzig, 1906.
Der Tassoaufsatz: ›Unterhaltung über den 'Tasso' von Goethe‹. E: ›Der Tag‹. Berlin, 1906. Jetzt in Prosa II. Vgl. hierzu das Vorwort.
Harry läßt ihn nachdrucken: Kessler befaßte sich mit bibliophilen Drucken. Die von ihm 1908 in Weimar gegründete Cranach-Presse gab der typographischen Kunst und der Bibliophilie im ersten Drittel des Jahrhunderts bedeutende Impulse.
Photographie: die Aufnahme zeigt Christiane und Franz v. H. in einem Wägelchen.

24 H. v. N. 28. 11. 06
die Märchen von Tausend und eine Nacht: bezieht sich vermutlich auf H. v. H.'s Aufsatz ›Tausendundeine Nacht‹ (Einleitung zur Inselausgabe, 1908; jetzt in Prosa II) bzw. Vorarbeiten hierzu.

25 H. v. H. 4. 12. 06
in Göttingen lese: ›Der Dichter und diese Zeit.‹

26 H. v. H. 8. 12. 06
den Vortrag: ›Der Dichter und diese Zeit‹.
der Eysoldt: Gertrud Eysoldt, 1877–1955. Schauspielerin, lange Jahre im Ensemble des Deutschen Theaters in Berlin.
das Buch: vermutlich ›Kleine Dramen‹.
aus dem »Kleinen Welttheater«: ›Das Kleine Welttheater‹. Geschrieben 1897. E: ›Kleine Dramen‹, Insel-Verlag, 1906. Jetzt in Gedichte und lyrische Dramen.

27 H. v. N. 10. 12. 06
Madame de Broglie: Baronin Madeleine Deslandes, geschiedene Prinzessin de Broglie. Lebensdaten nicht zu ermitteln.
Ilse: Roman. Paris, 1896.

28 H. v. H. 12. 12. 06
sang Richard Strauss: Richard Strauss (1864–1949) begann damals mit der Vertonung von H. v. H.'s ›Elektra‹. Tragödie in einem Aufzug. Frei nach Sophokles. B: SFV, 1904. Jetzt in Dramen II.
Harrach: Graf Hans Albrecht Harrach, 1873–1963. Maler und Bildhauer.
Gladys Deacon: geb. etwa 1887, als Tochter des Bostoner Groß-industriellen Parker Deacon, seit 1921 9. Duchess of Marlborough. H. v. H. hatte sie im April 1906 in Rom kennengelernt.
diese Weimarer Dinge: Kessler war in Auswirkung von Hofintrigen von Großherzog Wilhelm Ernst bei einem offiziellen Empfang brüs-

kiert worden; dadurch wurde er gezwungen, im Juni 1906 seinen Abschied als Direktor des Weimarer Museums zu nehmen. Er hatte darin bedeutende Ausstellungen veranstaltet und es der impressionistischen Kunst geöffnet.
Ihre Frau Mutter: Sophie von Beneckendorff und von Hindenburg, geb. Gräfin zu Münster, 1851–1934.

H. v. N. 25. 12. 06   31
Moloch von Schillings: Max von Schillings, 1863–1933. Oper ›Moloch‹ nach der Dichtung von Friedrich Hebbel.
Berliner Vortrag: ›Der Dichter und diese Zeit‹.
Heller: Hugo Heller, 1870–1923. Buchhändler in Wien und Herausgeber der ›Wiener Kunst- und Buchschau‹. Vgl. H. v. H., ›Brief an den Buchhändler Hugo Heller‹ und das Kapitel ›Wiener Notizen aus den Kriegs- und Revolutionsjahren‹ in ›Aus dem alten Europa. Menschen und Städte‹ von H. v. N. Insel-Verlag, 1950 und rororo Taschenbuch-Ausgabe 666, 1964.

H. v. N. 27. 12. 06   32
»*Tod des Tizian*«: ›Der Tod des Tizian‹. E: ›Blätter für die Kunst‹, Band I, Berlin, Oktober 1892. Jetzt in Gedichte und Lyrische Dramen.

H. v. H. 2. 4. 1907   32
Ardenza: kleiner Ort am Meer bei Livorno, wo H. v. N.'s Mutter eine Villa besaß.
Meudon: Pariser Vorort, in dem Auguste Rodin (1840–1917) lebte.
Rheinlande: ›Die Rheinlande‹. Zeitschrift, herausgegeben von Wilhelm Schäfer, Düsseldorf.
Briefe der Julie de Lespinasse: ›Correspondance entre Mademoiselle de Lespinasse et le Comte Guibert‹, Paris, 1906. Dazu die Biographie ›Julie de Lespinasse‹ von Pierre Marquis de Ségur, Paris, 1905. Nach einer Notiz H. v. H.'s vom März 1907 (in Aufzeichnungen) war er auf beide Bücher durch Kessler aufmerksam geworden. Sie waren eine der Anregungen zu der Fragment gebliebenen Komödie›Silvia im ‚Stern'‹. Jetzt in Lustspiele II. Neu herausgegeben von Martin Stern, Berlin und Stuttgart, o. J.

H. v. N. 12. 5. 07   35
in einem kleinen Haus von Rodin: H. v. N. und ihr Mann wohnten als Gäste Rodins in dem im Garten seines Wohnhauses gelegenen Atelierhaus, in dem er einen Schlafraum hatte herrichten lassen. Über die Beziehung zu Rodin und den Besuch in Meudon vgl. das Kapitel ›Rodin‹ in H. v. N., ›Aus dem alten Europa‹.

Madame de Noailles: Anne de Noailles, geborene Brancovan-Bibesco, 1876–1933. Französische Lyrikerin rumänischer Abstammung.
Lauzun: vermutlich eine Biographie über Antonin Duc de Lauzun, Abenteurer und Höfling zur Zeit Ludwigs XIV.
St. Denis: in der Abteikirche dieser Industriestadt bei Paris befinden sich Grabstätten französischer Könige seit Ludwig dem Heiligen.
»Victoire de Samotrace«: Statue der Nike von Samothrake im Louvre.

36 H. v. H. 15. 5. 07
Ce sont les silences et non pas les distances qui séparent: offenbar nur sinngemäße Wiedergabe der Anfangssätze des Briefes der Julie de Lespinasse vom 25. Juli 1773.
Gerhard Mutius: Gerhard von Mutius, 1872–1934. Diplomat. Langjähriger Gesandter des Deutschen Reiches in Kopenhagen, später in Bukarest. In späteren Jahren philosophischer Schriftsteller im Geiste des deutschen Idealismus.
O. D.: Ottonie Gräfin Degenfeld-Schomberg, geb. von Schwartz (geb. 1882), Schwägerin von Eberhard von Bodenhausen, dem Freunde H. v. H.'s.
l'Ombre des Jours: Gedichtband von Anne de Noailles, Paris, 1902.
Ein kleines Buch: H. v. H., ›Die Prosaischen Schriften, gesammelt in vier Bänden‹. 1. und 2. Band, SFV, 1907. Inhalt des 1. Bandes: ›Der Dichter und diese Zeit. Ein Brief. Über Gedichte. Shakespeares Könige und große Herren.‹ 3. Band 1917. Ein 4. Band ist nicht erschienen.

40 H. v. N. Mai 1907
Maillol: Aristide Maillol, 1861–1944.

40 H. v. N. Juli 1907
Marly: Marly-le-Roy, Ort bei Versailles. Maillol besaß dort ein kleines Haus.
Eblouissements: Gedichtband von Anne de Noailles, Paris, 1907.
lese . . . im Leonardo da Vinci: vermutlich: ›Die Schriften des Leonardo da Vinci‹, ausgewählt und übertragen von Marie Herzfeld, Jena, 1906. Vgl. H. v. H.: ›Brief an den Buchhändler Hugo Heller‹.

42 H. v. H. 15. 10. 07
diese Rede Ihres Mannes: A. v. N. hatte in Dresden eine Rede gegen die ›Nebenregierung der sächsischen Konservativen‹ gehalten und mit ihr Aufsehen in der Öffentlichkeit sowie das Mißfallen amtlicher Kreise erregt.

»*Aus dem Zuchthaus*«: ›Aus dem Zuchthaus. Verbrecher und Straf-
rechtspflege‹ von Hans Leuss. 2. Aufl., Berlin, 1904. Ein Erlebnis-
bericht als Ausgangspunkt einer Kritik des damaligen Strafvollzuges.
dem alten Dilthey: Wilhelm Dilthey, 1833–1911. Philosoph, Begründer einer Methodik der Geisteswissenschaften und der Erlebnis-
philosophie, bedeutender Interpret der Geistesgeschichte. Zu seinen
wichtigsten Werken zählen: ›Leben Schleiermachers‹, ›Jugendge-
schichte Hegels‹, ›Der Aufbau der geschichtlichen Welt in den
Geisteswissenschaften‹, ›Weltanschauung und Analyse des Menschen
seit Renaissance und Reformation‹. Vgl. H. v. H., ›Wilhelm Dilthey‹.
›Der Tag‹, Berlin, 1911. Jetzt in Prosa III.
»*Das Erlebnis und die Dichtung*«: Berlin, 1905, (10. Aufl. 1929).
Meyer-Gräfe: Julius Meier-Graefe, 1867–1935. Kunsthistoriker, Kri-
tiker, Erzähler. Sein Buch ›Impressionisten‹ erschien 1907. Vgl. auch
H. v. H., ›Julius Meier-Graefe. Zu seinem sechzigsten Geburtstag‹.
E: ›J. M.-Gr. Widmungen. Zu seinem sechzigsten Geburtstag‹, Mün-
chen, 1927. Jetzt in Prosa IV.
Briefe von Van Gogh: Vincent van Gogh. Briefe an seinen Bruder.
Zusammengestellt von seiner Schwägerin J. van Gogh-Bonger. Über-
tragen von Leo Klein-Diepold. Berlin, 1907.
Lowes Dickinson: Goldsworty Lowes Dickinson, 1862–1932. H. v. H.
nennt ihn in ›Umrisse eines neuen Journalismus‹ (E: ›Die Zeit‹, 1907.
Jetzt in Prosa II) einen »philosophischen Journalisten«.
A modern symposion: New York, 1906.
»*Letters from John Chinaman*«: London, 1901.

diese Arbeit: ›Silvia im ‚Stern‘‹. Vgl. hierzu letzte Anm. zu H. v.
H. 2. 4. 1907.
eine Bekannte: Ruth St. Denis.
von meiner bevorstehenden Ankunft: in der ersten Dezemberhälfte verbrachte H. v. H. mehrere Tage in Dresden; er wohnte im Nostitz-
schen Hause.

mit dem Inder: vgl. hierzu H. v. N.'s Brief vom 14. 1. 08. Weiteres
nicht zu ermitteln.
der arme junge kindliche Mensch: hierzu hat A. v. N. vermerkt: »Herr
Henckel«. Vgl. auch »den kleinen Henckel« in Brief v. H. v. N. vom
5. 12. 07 und »Der arme kleine Henckel« in Brief von H. v. N. vom
14. 1. 08. Weiteres nicht zu ermitteln.
Ruth: Ruth St. Denis.
Hans: vermutlich H. v. H.'s Schwager Hans Schlesinger, 1875–1932.
Maler, später Priester.

47 H. v. H. 4. 12. 07
Crinett: von Friedrich Terburg, Berlin, 1901. Herbert von Hindenburg (1871–1956), der Bruder von H. v. N., damals im Auswärtigen Dienst, hatte für die Veröffentlichung dieses zeitkritischen Leutnantsromans das Pseudonym Friedrich Terburg gewählt.
H. K.: Harry Kessler.

48 H. v. N. 5. 12. 07
»Junge Gänschen . . .«: Zitat aus ›Mitteilungen über Goethe‹ von Friedrich Wilhelm Riemer, 1841. Eintragung vom 16. 10. 1809. H. v. N. benutzte die Gesamtausgabe ›Goethes Gespräche‹, herausgegeben von Woldemar Freiherr von Biedermann, 1889, in der die Stelle im 2. Band steht.
der Narziss mit erhobenem Finger: Bronzenachbildung einer hellenistischen Statue.
Hardenberg: Ferdinand Kuno Graf von Hardenberg, 1870–1937. Seit 1917 Hofmarschall und Verwalter des Kunstbesitzes, sodann des Vermögens des kunstsinnigen Großherzogs Ernst Ludwig von Hessen. Literarisch trat er u. a. hervor als Mitverfasser einer Biographie des romantischen Malers Fohr (Kuno Graf Hardenberg und E. Schilling, ›Karl Philipp Fohr‹, 1925).
Incense: Weihrauch
Wizzy: H. v. N.'s Hund. Vgl. H. v. H.'s Brief vom 3. 10. 08: ». . . mit Ihrem grauen Hund . . .«.
der Brief von Fritsch: Hugo Freiherr von Fritsch, 1869–1945. Oberhofmeister des Großherzogs von Sachsen-Weimar. Sein Brief betraf die vorübergehende Übernahme von A. v. N. in den Weimarischen Staatsdienst, die sich nach seiner kritischen Rede über die sächsischen Konservativen als zweckmäßig erwies.

50 H. v. H. Dezember 1907
an Gustav Richters Schreibtisch: Gustav Richter, 1869–1943. Maler, mit schriftstellerischen Neigungen. Seine meisten Manuskripte und Bilder wurden 1943 bei einem Bombenangriff auf Berlin vernichtet. Sohn von Cornelia Richter (s. u.) und wie H. v. H.'s Freund Leopold von Andrian ein Enkel des Komponisten Giacomo Meyerbeer. Er war in Rodaun, als H. v. H. starb.
Fortuny: Mariano Fortuny, 1871–1949. Sohn des gleichnamigen spanischen Malers M. F., (1838–1874). Maler, Bühnen- und Kostümbildner, der u. a. mit Max Reinhardt zusammenarbeitete. Er lebte in einem venezianischen Palazzo.
die St. Denis – sie war wundervoll . . . : H. v. N. schreibt hierzu in ›Aus dem alten Europa‹: »Diese Zeilen beziehen sich auf jenen Nachmittag, an dem in unserem Hause die St. Denis, im Alltagskleide und mit beschei-

dener Grazie, uns wunderbare Schals des Venezianers Fortuny zeigte...
Altgriechische Muster und das Gewand des Wagenlenkers von Delphi
lebten in ihnen auf und erweckten traumhafte Visionen. In solcher
Stimmung betrachteten wir dann gemeinsam im Museum die griechischen Plastiken und Vasenbilder, und dann tanzte sie und improvisierte vor den grauen Wänden ihres kleinen Pensionszimmers den
‚Pfauentanz' und, unter flammendroten Seidenstoffen niedersinkend,
den ‚Sonnenuntergang'.«

eine ganz erstaunliche kleine Schauspielerin: Camilla Eibenschütz, 1884
bis 1958. Spielte führende Rollen in Max Reinhardts Ensemble, bis sie
nach ihrer Heirat mit dem Zeitungsverleger Dr. Wolfgang Huck
1918 die Bühne verließ.

bei Reinhardt: Max Reinhardt (eigentlich Goldmann), 1873–1943. Er
war 1900–1932 Direktor der Kammerspiele und des Deutschen
Theaters in Berlin.

ihren schlechten Romeo: Alexander Moissi, 1879–1935. H. v. H. lernte
ihn erst später schätzen. Moissi spielte den Florindo in der Uraufführung von ›Cristinas Heimreise‹ und war der erste Jedermann.

meine Silvia: H. v. H. denkt an die Rolle der Silvia in ›Silvia im
‚Stern'‹.

Frau Richter: Cornelia Richter, 1840–1922. Tochter des Komponisten Giacomo Meyerbeer und Frau des Porträtmalers Gustav
Richter (gest. 1884). Ihr Salon war ein Mittelpunkt des geistigen und
musikalischen Berlin vor dem Ersten Weltkrieg. Vgl. in H. v. N.,
›Aus dem alten Europa‹ das Kapitel ›Bodo von dem Knesebeck und
seine Freunde‹.

den van de Veldes: Henry van de Velde, 1863–1957. Architekt, Innen-
architekt, Kunstgewerbler. Wohl der genialste Initiator des ›Style
Nouveau‹ (Jugendstil). Er wurde 1901 auf Kesslers Veranlassung als
Leiter des Kunstgewerblichen Seminars und künstlerischer Berater
nach Weimar berufen. Mit seiner Frau Maria geb. Sèthe (1867–1942)
und fünf Kindern lebte er dort seit 1906 in einem selbstgebauten
Hause, dem ›Haus Hohe Pappeln.‹ Vgl. seine ›Geschichte meines Lebens‹, herausgegeben und übertragen von Hans Curjel, München,
1962.

Besuch bei Kügelgen in Dresden: in ›Goethes Gespräche‹, herausgegeben von Woldemar Freiherr von Biedermann. Bd. III, Nr. 578 und
579.

Briefe von Michel Angelo: die grundlegende Ausgabe ›Le Lettere di
Michelangelo Buonarotti, pubblicate coi ricordi ed contratti artistici
per cura di Gaetano Milanesi‹, Florenz, 1875.

»Bocqué«: nicht zu ermitteln.

Schlippenbach: nicht zu ermitteln.
dem großen Augenblick: H. v. N. erwartete die Geburt eines Kindes.

55 H. v. H. 24. 3. 08
es mir selbst zu schreiben: dieser Satz bezieht sich vermutlich auf
eine nicht erhaltene Mitteilung H. v. N.'s über die bevorstehende
Übersiedlung nach Weimar.
die Gräfin Harrach: Gräfin Helene Harrach, geb. Gräfin Pourtalès,
1849–1937(?). Gattin des Malers Graf Ferdinand Harrach.
Renata: Gräfin Renata Harrach, 1882–1961. In erster Ehe mit dem
Diplomaten Dietrich von Bethmann-Hollweg, in zweiter Ehe mit
dem Staatssekretär im Auswärtigen Amt und Botschafter Carl von
Schubert verheiratet.
Lori: Gräfin Eleonore Harrach, geb. 1878. Später Gräfin Hochberg.
Jugendfreundin von H. v. N.
Gräfin Wolkenstein: Gräfin Maria (gen. Mimi) Wolkenstein, ver-
witwete Gräfin Schleinitz, geb. von Buch, 1842–1912. Verehrerin
Wagners und Schopenhauers. Bismarckgegnerin, namentlich zu Leb-
zeiten ihres ersten Mannes, des preußischen Hausministers Graf Alex-
ander von Schleinitz. Als Förderin Richard Wagners trug sie wesent-
lich zur Gründung des Bayreuther Festspielhauses bei. Vgl. über sie
Harry Graf Kessler, ›Gesichter und Zeiten‹, Berlin, 1935, S. 15 ff.
Ausgabe 1962, S. 12 ff.).
Winterfeld: Joachim von Winterfeld-Menkin, 1865–1945. Landes-
direktor der Provinz Brandenburg. Mittelpunkt eines schöngeistigen
Kreises.
Frau von Wangenheim: Johanna von Wangenheim, geb. Hugo von
Spitzemberg, 1877–1960. Gattin des späteren deutschen Botschafters
in Konstantinopel, Hans Freiherrn von Wangenheim. Jugendfreundin
von A. und H. v. N.
mit . . . Weimar entschieden: A. v. N. war als Vortragender Rat in das
Weimarische Staatsministerium berufen worden.
»Der Tor und Tod«: H. v. H. hielt sich mit seiner Frau mehrere
Wochen in Berlin auf, wo Max Reinhardt in den Kammerspielen ›Der
Tor und der Tod‹ inszenierte. E: ›Moderner Musenalmanach auf das
Jahr 1894‹, 2. Jahrgang, München, 1893. Jetzt in Gedichte und Ly-
rische Dramen.

56 H. v. N. 26. 3. 08
Ihren Artikel über Balzac: der Essay H. v. H.'s ›Balzac‹, als Einleitung
zur Balzac-Ausgabe des Insel-Verlages geschrieben, erschien 1908 zuerst in ›Der Tag‹. Jetzt in Prosa II.
»dieselbige Sonne«: die 1797 entstandenen Verse Goethes stehen in der
Abteilung der Gedichte ›Antiker Form sich nähernd‹ und lauten:

»Nicht am Morgen allein, noch am Mittag einzig beglückt sie,
Untergehend sogar ist's immer dieselbige Sonne.«

H. v. H. 25. 4. 08

Georg Franckenstein: Georg Freiherr von Franckenstein, später Sir
George Franckenstein, 1878–1953. Österreichischer Diplomat, langjähriger Gesandter in London.

seine Mutter ist eine Schoenborn: Elma geb. Gräfin von Schönborn-
Wiesentheid, 1841 bis 1884.

seine Großmutter eine Oettingen: ein Irrtum, der sich daraus erklären
dürfte, daß ein Bruder von Franckensteins Vater mit Marie Prinzessin Oettingen–Wallerstein (1832–1891) verheiratet war.

Aehrenthal: Graf Alois Lexa von Aehrenthal, 1854–1912. Von 1906
bis 1912 österreichisch-ungarischer Außenminister.

Ich gehe heute . . . nach Athen: H. v. H. unternahm die Reise nach
Griechenland mit Kessler und Maillol, beendete sie aber vorzeitig
Mitte Mai.

mit vielen fertigen Comödien: H. v. H. war in diesem Jahr mit
Umarbeitungen von ›Die Hochzeit der Sobeïde‹ (Jetzt in Dramen
I) und der Casanova-Komödie ›Florindo‹ beschäftigt.

von Hofmanns: der Maler Ludwig von Hofmann (1861–1941) und
seine Frau Elly, Tochter des Archäologen Kekule von Stradonitz.

Frau Förster Nietzsche: Elisabeth Förster-Nietzsche, 1846–1935.
Schwester Friedrich Nietzsches. Umstrittene Verwalterin des Nach-
lasses ihres Bruders und Betreuerin des Weimarer Nietzsche-
Archivs.

Elektrapremière: Uraufführung an der Hofoper in Dresden am 25. 1.
1909.

den Aufsatz Falscher Idealismus: dieser Aufsatz, der sich gegen die
antisemitischen und nationalistischen deutschen Kulturreaktionäre
richtete, stammt von Karl Scheffler (1869–1951), der neben Meier-
Graefe der bedeutendste Kunstschriftsteller jener Tage ist; Herausgeber von ›Kunst und Künstler‹.

Johannes Schlaf: 1862–1941. Einer der Begründer des naturalistischen
Dramas, später mystizistischen Betrachtungen zuneigend. In diese
Periode fällt das Buch ›Christus und Sophie‹, Wien und Leipzig,
1906, das die Beziehung Novalis' zu Sophie von Kühn und seine
christliche Philosophie behandelt.

. . . Casanova in einer sehr hübschen deutschen Ausgabe: Jakob Casanova von Seingalt's Memoiren, deutsch von L. von Alvensleben,
auf's neue durchgesehen von C. F. Schmidt, 17 Teile in 5 Bänden,
Leipzig, 1890.

61 H. v. H. 8. 5. 08
Ansichtskarte: mit dem Wagenlenker von Delphi.
das so sehr freudige Ereignis: am 4. 4. 1908 wurde H. v. N.'s Sohn
Oswalt geboren.

64 H. v. H. 8. 6. 08
Lebaudy: französischer Großindustrieller, 1858–1937. Er finanzierte die ersten Flugversuche.
Pierpont Morgan: amerikanischer Finanzmagnat (1837–1913) oder sein gleichnamiger Sohn (1867–1943).
an einem sehr netten Lustspiel: die ›Casanova-Komödie‹ mit dem damaligen Arbeitstitel ›Florindo‹. Erste Fassung von ›Cristinas Heimreise‹. Jetzt in Lustspiele I. Vgl. hierzu ›Florindo‹, herausgegeben und mit einem Nachwort versehen von Martin Stern. Suhrkamp Verlag, Frankfurt am Main, 1963.

66 H. v. N. 11. 6. 08
Kurt Herrmann: Curt Herrmann, 1854–1929. Berliner Maler.
für den Großherzog: Wilhelm Ernst, Großherzog von Sachsen-Weimar, 1876–1923.
»Cyrène«: Roman von Madeleine Deslandes, Paris, 1908.
de Zichy Wegh: nicht ermittelt.
Dear Lady of Dresden: Anspielung auf das Zusammensein in Dresden im Dezember 1907. Vgl. Anm. zu H. v. H. Dezember 1907.

67 H. v. H. 7. 7. 08
2, vielleicht 3 neue fertige Stücke: H. v. H. denkt dabei offenbar an seinen 1907 liegengebliebenen ersten Komödienversuch ›Silvia im ‚Stern'‹, an ›Florindo‹ und an die ersten Entwürfe zu ›Der Schwierige‹ (Arbeitstitel: ›Der Verschwender‹).
im 2. Act einer Komödie: ›Florindo‹.
nicht die vom vorigen Herbst: ›Silvia ‚im Stern'‹.
Neubeuern: Schloß der Freiherrn von Wendelstadt im gleichnamigen Städtchen bei Rosenheim.
zu Wendelstadts: Jan Freiherr von Wendelstadt (1843–1909) und seine Gattin Julie geb. Gräfin Degenfeld-Schomberg, Schwägerin von Eberhard von Bodenhausen.
mit unseren Freunden Bodenhausen: Eberhard von Bodenhausen, 1868–1918. Jurist, Kunstgelehrter, Mitbegründer der Zeitschrift ›Pan‹. Im Ersten Weltkrieg Organisator der Nahrungsmittelchemie, zuletzt im Aufsichtsrat des Kruppkonzerns. Langjähriger enger Freund H. v. H.'s. Vgl.: Hugo von Hofmannsthal/Eberhard von Bodenhausen. Briefe der Freundschaft, Düsseldorf, 1953. Seine Witwe Dora ist eine geb. Gräfin Degenfeld-Schomberg.

viel Unglück: Anfang des Jahres war Graf Christoph Martin Degenfeld-Schomberg, Gatte von Ottonie Degenfeld und Bruder von Dora von Bodenhausen, plötzlich gestorben.

H. v. H. 31. 7. 08 70
meine Schwiegermutter: Franziska Schlesinger, geb. Kuffner.
Mein Schwager: Hans Schlesinger.
Miss Deacon: in einer Tagebuchaufzeichnung H. v. H.'s (In Aufzeichnungen, S. 160 f.) heißt es: »St. Moritz, August 1908. – Gladys D. Sie ist jetzt etwa 25. Ist und bleibt immer in gewissem Sinn die glänzendste Person, die ich je gesehen habe. Ihre Augen wie blaues Feuer. Ihre Kühnheit, gelegentlich auch Frechheit im Sprechen, ist womöglich noch gewachsen. Sie hat immer unter fünfundzwanzig Menschen die alleinige Führung des Gesprächs; schmeichelt, insultiert, durchdringt. Die Raschheit und Elastizität ihres Geistes ist erstaunlich. Sie hat manchmal etwas von einem lasziven jungen Gott in Mädchenkleidern. Über H. N. sagte sie (sehr richtig): Das ist eine Frau, die in bewundernswerter Weise ihre Individualität wahrt, ohne den Mund aufzumachen. –«
H. N.: zweifellos H. v. N. Vermutlich entstand die Niederschrift nach ihrer ersten, von H. v. H. vermittelten Begegnung mit Gladys Deacon in St. Moritz.

H. v. H. August 1908 71
drei Stücke gleichzeitig: gemeint sind wiederum ›Florindo‹, ›Silvia im ‚Stern'‹ und ›Der Schwierige‹.

H. v. H. 6. 8. 08 72
Angst: Schweizer Name. Näheres nicht zu ermitteln.
mit diesen Lyhnars: vermutlich Graf Johannes Lynar (1859–1934) und Gräfin Elise, geb. Gräfin Schack (1868–1950).

H. v. H. 11. 9. 08 72
Die gräßlichen Berge: offenbar Anspielung auf eine Ansichtskarte H. v. N.'s aus dem Engadin. Sie ist nicht erhalten.

H. v. N. September 1908 73
eine meiner Skizzen: die Skizzen, von denen auch in H. v. H.'s Brief vom 3. 10. 08 die Rede ist, sind nicht erhalten.

H. v. H. 3. 10. 08 74
mit meiner Arbeit: ›Florindo‹.

75 H. v. H. 19. 10. 08
Letzter Aufzug: gemeint ist der unvollendete 4. Aufzug von ›Florindo‹ (Hochzeit mit der Szene der Masken). Vgl. Günther Erken,
›Hofmannsthal-Chronik‹ in ‚Literaturwissenschaftliches Jahrbuch
der Görresgesellschaft‘, Neue Folge, Dritter Band, Berlin, 1962.

76 H. v. N. 6. 11. 08
bei den lieben Richters in Wannsee: Cornelia Richter lebte mit einem
ihrer Söhne in einer Villa in Wannsee.
den Harrachs: Graf und Gräfin Harrach wohnten in einem Haus am
Pariser Platz.
Politisch war alles wohl erregt: gemeint ist der ›Novembersturm‹ in
der Öffentlichkeit, insbesondere im Reichstag, wegen des Daily
Telegraph-Interviews Wilhelms II.

77 H. v. N. 8. 11. 08
Mein Bruder: Herbert von Hindenburg. H. v. H. dürfte auf diese
Anfrage nicht reagiert haben, zumal es ihm im November und De-
zember 1908 gesundheitlich nicht gut ging.

78 H. v. H. Januar 1909
Ruth: Ruth St. Denis.
Dresdner Elektra: die Uraufführung der ›Elektra‹ unter der musi-
kalischen Leitung von Ernst von Schuch, mit Annie Krull in der
Rolle der Elektra, fand am 25. Januar 1909 statt.

79 H. v. H. 17. 1. 09
Seebach: Niklaus Graf Seebach (1854–1930) war 1894–1918 Ge-
neraldirektor der Königl. Sächsischen Hofbühnen und somit des
Hoftheaters und der Oper in Dresden.

80 H. v. H. 26. 1. 09
Der gestrige Abend: die Elektrapremiere.
Ich freue mich so sehr auf Sie: H. v. H. war in der ersten Februarhälfte
in Weimar. Damals muß der Spaziergang im Tiefurter Park stattgefunden haben, auf dem H. v. H. und Kessler – wie H. v. N. in
›Aus dem alten Europa‹ berichtet – den Freunden zum ersten Mal
die Gestalten von ›Der Rosenkavalier‹ skizzierten.
mein Telegramm: das Original des Telegramms ist nicht erhalten,
doch erzählt H. v. N. den Vorgang in ›Aus dem alten Europa‹:
»Als ich ihn [H. v. H.] einmal telegrafisch um genauere Formulierung einer etwas vagen Verabredung bat, erhielt ich die um-
gehende Antwort: ›Kann diese preußischen Manieren nicht ver-
tragen, Pläne unbestimmt‹. Humorvoll meinte er dann, er sei zum

Telegrafenamt förmlich gelaufen, um nur ja nicht seinen ersten Zorn verrauchen zu lassen.«

H. v. H. Ende Juli 1909   81
russisch, nicht preußisch: H. v. N. hatte preußisches Blut durch ihren Vater Conrad von Beneckendorff und von Hindenburg, russisches Blut durch ihre Großmutter mütterlicherseits, eine geborene Galitzin.
mit meiner Comödie: die zweite Fassung von ›Florindo‹ mit dem Titel ›Cristinas Heimreise‹.
seines Gastspiels dort: Reinhardt gab in den Sommermonaten 1909 bis 1911 Gastspiele in dem 1909 erbauten Münchener Künstlertheater.
eine Spieloper für Strauss: ›Der Rosenkavalier‹ Komödie für Musik in 3 Aufzügen von H. v. H. Musik von Richard Strauss. E: Adolph Fürstner, Berlin, Paris, 1911. B: SFV, 1911. Jetzt in Lustspiele I.

H. v. H. 7. 8. 09   83
... *um meines Vaters:* Dr. jur. Hugo August Peter Hofmann, Edler von Hofmannsthal, 1841–1915. Bankdirektor.
mein Schwager: Hans Schlesinger.
Baronin Braun: nicht ermittelt.

H. v. N. 10. 8. 1909   84
des Trierer Congresses: am 23. September 1909 fand in Trier der Zehnte Tag für Denkmalspflege statt, an dem A. v. N. als Vertreter von Sachsen-Weimar teilnahm.

H. v. H. 12. 9. 09   86
über Ihren Brief ganz consterniert: dieser Brief, mit dem H. v. N. offenbar ihre Reise nach München ankündigte, ist nicht erhalten.
Christiane: H. v. H.'s Tochter, geb. 1902, seit 1928 mit dem Indologen Heinrich Zimmer (1890–1943) verheiratet.
die Velics': Ludwig Velics von Laszlovalva (1857–1917) und seine Frau Edith, geb. Gräfin Messala (1869–1926). Gute Bekannte von H. v. N. aus Dresden, wo Velics um 1905 österreichischer Gesandter war. Seine Frau erregte mit ihrer schönen Singstimme Aufmerksamkeit.

H. v. H. Ende September 1909   89
Tschudi: Hugo von Tschudi, 1851–1911. Kunsthistoriker. Seit 1909 Direktor der Münchener Staatlichen Museen.
Heymel und Frau: Alfred Walter Heymel, 1878–1914, (von H. seit 1907), gemeinsam mit R. A. Schröder erzogen. Lyriker und Erzähler. Mitbegründer der Zeitschrift ›Die Insel‹ und des Insel-Verlages.

Seine Frau: Margherita geb. v. Kühlmann (Schwester Richard v. Kühlmanns); die Ehe wurde 1912 gelöst.
Adine Eulenburg: Gräfin Ada Eulenburg, geb. 1877.
Gisela Hess: nicht ermittelt.
Siegfried Wagner: 1878–1930. Sohn Richard Wagners. Komponist, Dirigent, Regisseur.

89 H. v. N. Oktober 1909
Giardino Eden: noch heute existierender Privatgarten auf der Insel La Giudecca, von dem H. v. N. wohl durch H. v. H. wußte.
Tintoretto: gemeint ist wahrscheinlich ein Bild aus Tintorettos Spätzeit in der Academia in Venedig. Es zeigt die Jungfrau mit dem Kinde auf der Wolke, darunter Cosmas, Damian und andere Heilige.

90 H. v. H. 26. 11. 09
Ihren Brief: der Brief an Gerty von Hofmannsthal, in dem sich H. v. N. für einen in Wien lebenden entfernten Vetter ihres Mannes verwandte, ist nicht erhalten.
in der Arbeit, wenn auch dem Ende nahe: ›Cristinas Heimreise‹, die Anfang Dezember beendet wird.
Pauline Metternich: Fürstin Pauline Metternich-Winneburg geb. Gräfin von Sandor, 1863–1921. Schwiegertochter des Staatskanzlers, Witwe des langjährigen österreichisch-ungarischen Botschafters in Paris, Fürsten Richard Metternich-Winneburg. Vgl. den Abschnitt ›Wiener Notizen aus den Kriegs- und Revolutionsjahren‹ in ›Aus dem alten Europa‹.
Lanckoronski: Graf Karl Anton von Brzezie-Lanckoroński, 1848 bis 1933. Dr. phil. h. c., Kunstsammler. Mit Rilke befreundet. Vgl. auch ›Ansprache gehalten am Abend des 10. Mai 1902 im Hause des Grafen Karl Lanckoroński‹. Privatdruck. Jetzt in Prosa II.

91 H. v. N. 11. 12. 09
im II. Band Ihrer Prosaschriften: ›Die Prosaischen Schriften, gesammelt in vier Bänden, II‹, SFV, 1907.
diese Schlußseite über Peter Altenberg: ›Ein neues Wiener Buch‹ in ›Die Zukunft‹, 1896. Jetzt in Prosa I.

91 H. v. H. 17. 1. 1910
Postkarte: mit einer Photographie des Salons im Rodauner Hause.
meiner Première: ›Cristinas Heimreise‹ in der Inszenierung von Max Reinhardt im Deutschen Theater in Berlin.

92 H. v. H. 31. 1. 10
was sich in Weimar ereignet hat: Olga, die älteste Tochter von A. und

H. v. N., die an einem schweren Geburtsschaden gelitten hatte, war gestorben.
meine Comödie: ›Cristinas Heimreise‹.

H. v. H. 23. 2. 10 92
oder 8 hier: H. v. H. wohnte mit seiner Frau in der Cranachstraße 15 bei Kessler. Am 1. März las er dort mehreren Freunden, darunter A. und H. v. N., Rilke, Ludwig von Hofmann und Frau, Maria van de Velde, Frau Förster-Nietzsche, aus dem ›Rosenkavalier‹ vor. Vgl. dazu den Brief Rilkes an Clara Rilke vom 2. 3. 1910.

H. v. H. 28. 7. 10 92
mit alten Bekannten: dem Industriellen Louis Philipp Friedmann (1861–1939) und seiner Frau Rose, geb. Edle von Rosthorn (1864 bis 1919).
in Auerbach: A. v. N. war wieder in den sächsischen Staatsdienst übernommen und zum Amtshauptmann, was in Sachsen dem Landrat entsprach, in Auerbach im Vogtland ernannt worden.

H. v. H. 6. 10. 10 94
meine Figuren, die neuen: vermutlich schon ›Der Schwierige‹ und ›Lucidor‹.
Le Lys dans la vallée: diese Geschichte gehört zum ersten Teil der ›Scènes de la Vie de Province‹, einer Unterabteilung von Balzacs ›Comédie Humaine‹.
Le cabinet des antiques: ›Les Provinciaux à Paris. Le Cabinet des Antiques‹ gehört zum dritten Teil der ›Scènes de la Vie de Province‹.
Das Schicksal der Madame de Mortsauf: die folgende Betrachtung gilt dem Anfang von ›Le Lys dans la Vallée‹.
Bei den Möbeln: die Inneneinrichtung des Nostitz'schen Hauses stammte von Henry van de Velde.
die neue bittere Enttäuschung: gemeint sind die schwierigen Verhandlungen, die Henry van de Velde über den projektierten Bau des ›Théâtre des Champs-Elyseés‹ in Paris führte, nachdem seine Theaterbaupläne in Weimar gescheitert waren. Vgl. hierzu Henry van de Velde, ›Geschichte meines Lebens‹, München, 1962, S. 327–340.
Van Rysselberghe: Theo van Rysselberghe, 1862–1926. Belgischer Landschafts- und Porträtmaler, zeitweise Pointillist.
Mädi Bodenhausen: Dora von Bodenhausen, die Frau Eberhard von Bodenhausens.
Zwei Stoffe sind mir nahe: offenbar handelt es sich um den Stoff, der in der 1910 erstmals veröffentlichten Erzählung ›Lucidor, Figuren zu einer ungeschriebenen Komödie‹ literarisch geformt (jetzt in Die Erzählungen) und später in ›Arabella‹ (Text 1929 vollendet,

Uraufführung der Oper von Richard Strauss 1933. E: Adolph Fürstner, Berlin, London 1933. Jetzt in Lustspiele IV.) verwandt wurde, sowie um die Vorarbeiten zu ›Der Schwierige‹.

Rilke: Rainer Maria Rilke, 1875–1926. Die Beziehung H. v. N.'s zu Rilke, die in einem freundschaftlichen Briefwechsel ihren Niederschlag fand, geht auf den Beginn des Jahres 1910 zurück, als Rilke in Jena aus dem soeben vollendeten ›Malte Laurids Brigge‹ las und bald danach nach Weimar kam.

Gersdorff: Karl Freiherr von Gersdorff, 1866–1914; im Krieg gefallen. Regieassistent und Adlatus Max Reinhardts von 1910 bis 1914. Vgl. den Brief H. v. H.'s an Bodenhausen vom 14. 10. 1910 in ›Briefe der Freundschaft‹, wonach v. G. durch Vermittlung von H. v. N. und Frau Förster-Nietzsche zu Reinhardt kam.

97 H. v. N. 20. 10. 10
    die Dalcroze-Schule: Jacques Dalcroze (1865–1950) hatte 1910 in Hellerau bei Dresden die ›Bildungsanstalt Jacques Dalcroze‹ gegründet, eine später nach Genf verpflanzte Pionierschule der musikinspirierten Körper-Rhythmik und damit des modernen Balletts.

99 H. v. N. Spätherbst 1910
    die Wiesenthals: die Geschwister Grete, Elsa und Berta Wiesenthal, Wiener Tänzerinnen, die sich für den modernen Tanzstil einsetzten. H. v. H. war vor allem mit Grete Wiesenthal (geb. 1886) gut bekannt.

99 H. v. H. 13. 12. 10
    von dieser glücklichen Wendung: am 10. Dezember 1910 hatte Henry van de Velde den Vertrag über den Bau des ›Théâtre des Champs-Elysées‹ unterzeichnet. Eine günstige Lösung war also zu erwarten; sie kam dann aber doch nicht zustande.
    durch Ihre Zeilen: der Brief H. v. N.'s, der vermutlich diese Mitteilung enthielt, ist nicht aufzufinden.
    am 25. Januar: die Premiere des ›Rosenkavaliers‹ fand erst am 26. Januar 1911 statt.
    in Tschudis Cabinet: Arbeitszimmer des Direktors der Münchener Staatlichen Museen.

101 H. v. N. 21. 12. 10
    Die Klemperers: Gustav Edler von Klemperer, Direktor der Dresdner Bank in Dresden.
    Emmanuel Quint: ›Der Narr in Christo Emanuel Quint‹. Roman von Gerhart Hauptmann, Berlin, 1910.

H. v. H. 14. I. 1911

Bin Reichenbach heute: über diesen Besuch heißt es in H. v. N.'s
›Aufzeichnungen aus den Jahren 1906 bis 1913‹:
»*Auerbach 14.–16. Januar 1911. Besuch von Hofmannsthal. Fahrt
durch wunderbare abendbeleuchtete Schneelandschaft.* Gespräch
zu Hause über Reinhardt und Oedipus. Fluktuierende Massen-
bewegung muß wieder zur Vereinfachung führen. Reinhardts
Stücke, aus seiner Hand gegeben, sind schon nach zwei Aufführun-
gen verroht.
Hofmannsthal Kritik an seiner eigenen Übersetzung, die er jetzt
strenger halten würde. Die Deutschen vermischen alles: Wertheim
[das Berliner Kaufhaus] und Beethoven, so auch die Volksfestspiele.
Den nächsten Morgen gingen wir durch die Schneelandschaft. Nachher las er Goethesche Gedichte vor, dann chinesische. Der Urtext
wäre wie Kähne, die langsam auf dem Wasserspiegel eines Flusses
dahinführen, in dem sich rechts und links Häuschen spiegelten. Spaziergang in der Abenddämmerung. ›The sun was setting opposite
the moon‹. Gespräch über die Frau.
Der Mond stand nun voll und groß über der Schneelandschaft.«
Mit dem ›Oedipus‹ dürfte 'König Ödipus', Tragödie von Sophokles
in H. v. H.'s Übersetzung. (E: SFV, 1910. Jetzt in Dramen II) gemeint sein, die Reinhardt am 7. November 1910 im Zirkus Schumann in Berlin aufgeführt hatte.

H. v. H. 21. I. 11

unser nettes kleines Souper: H. v. N. schreibt in ›Aus dem alten Europa‹: »Wieder sehe ich uns in Dresden am Abend der Premiere des
›Rosenkavaliers‹. Er [H. v. H.] bittet mich, vor der Aufführung in
weißem Atlaskleid zu einem kleinen Souper zu erscheinen. So be-
reiten wir uns auf die graziöse, etwas pompös elegante Atmosphäre
der Oper vor . . .«.
Somit hätte das Souper am 26. Januar, dem Premierenabend, stattgefunden, was indessen unwahrscheinlich ist, da die Aufführung
nach dem Theaterzettel schon um 6 Uhr begann. Wie nun aber aus
H. v. N.'s Brief vom 11. 9. 1912 hervorgeht, hat sie den Rosenkavalier »gleich noch einmal« gehört. So versteht man ihre – im
Gegensatz zu ›Aus dem alten Europa‹ – noch unter dem Eindruck
des Augenblicks entstandene ›Aufzeichnung‹: »Dresden. 27. Januar
1911. Rosencavalier mit Hofmannsthal, Kessler, die Bremer [Ru-
dolf Alexander] Schröder, Heymel usw.
Souper allein mit Hofmannsthal vor dem Rosencavalier bei Pe-
terer, weißer Atlas und Grün. Stimmung des alten Wien. –«
Es ist daher anzunehmen, daß das – ursprünglich für den 25. ge-
plante – ›kleine Souper‹ am 27. stattgefunden hat.

102   H. v. H. 24. 1. 11
soupieren nach Premiere: in ›Aus dem alten Europa‹ schreibt H. v. N.:
»Das Auftreten einer störenden Person konnte ihn [H. v. H.] bis
zum Zorn verstimmen: Als nach der Rosenkavalierpremiere sich
ungebetene Gäste herandrängten, erblaßte und verstummte er . . .«
Richter: Gustav Richter.
Lichnowsky: Fürst Karl Max von Lichnowsky, 1850–1928. Deut-
scher Botschafter in London beim Ausbruch des Ersten Weltkrieges.
Giulietta: Giulietta von Mendelssohn, geb. Gordigiani, Frau des
Berliner Bankiers Robert von Mendelssohn. Pianistin.
Vitzthum: Graf Friedrich von Vitzthum, 1855–1936. Majoratsherr
auf Lichtenwalde bei Dresden und Oberstmarschall am Sächsischen
Hofe. Vgl. H. v. N., ›Festliches Dresden‹, Frankfurt a. M., 1962.

102   H. v. H. Anfang 1911
die Momente mit dem Russen, dem Zwerg: H. v. N. notiert zu diesen
Dresdener Tagen in ihren ›Aufzeichnungen‹: »Dalcroze, Hellerau,
der wahnsinnige Russe Salzmann, Fahrt im Auto mit ihm. Fest des
Zwerges (Balzac) endet mit Tanz.« Mit dem ›Russen‹ ist demnach
der russische Maler Alexander Salzmann gemeint, von dem die
neuartige Beleuchtungsanlage im Theatersaal der Dalcroze-Anstalt
stammte.

102   H. v. N. Februar 1911
diesen Brief meines Bruders: vgl. die Briefe H. v. H.'s vom 4. 12. 07
und H. v. N.'s vom 8. 11. 08 und die Anmerkungen hierzu. Vermutlich ging es Herbert von Hindenburg um die Veröffentlichung
eines Auszugs aus dem Briefe H. v. H.'s über ›Crinett‹. Die Angelegenheit ist dann offenbar mündlich geklärt worden.

103   H. v. H. 29. 3. 11
der Russe: Alexander Salzmann.
Gustav: Gustav Richter.
M. L.: Mechtild Lichnowsky, geb. Gräfin von Arco-Zinneberg,
1878–1958. Gattin des Fürsten Karl Anton von Lichnowsky. Nach
dessen Tod verheiratet mit dem englischen Offizier Ralph Peto.
Schriftstellerin.
Rudi Schröder: Rudolf Alexander Schröder, 1878–1962. Dichter,
Übersetzer, Mitbegründer des ›Pan‹ und des Insel-Verlages, Mit-
herausgeber der Monatsschrift ›Die Insel‹ und später – gemein-
sam mit H. v. H., Rudolf Borchardt und Willy Wiegand – der
›Bremer Presse‹. Er war ein naher Freund H. v. H.'s.
seine vielen Geschwister: R. A. Schröder hatte fünf Schwestern:
Dora, Clara, Lina, Elsa, Hilda und einen Bruder: Hans.

ihre Mutter: Elisabeth Schröder geb. Meier, 1847–1911.
Rilke, . . . wenn er . . . nach Paris zurückkehrt: Rilke hatte an seinen Algieraufenthalt eine Ägyptenreise angeschlossen und kehrte am gleichen 29. 3. nach Paris zurück. An Anton Kippenberg schrieb er am 25. 2. 1911: »Ich will zurück nach Paris, aber . . . meine Ersparnisse sind aufgebraucht, ich kann nicht einmal das bescheidene Leben dort beginnen ohne eine gewisse Hilfe.« (Briefe an seinen Verleger 1906–1926, Leipzig, 1936)
Marie Taxis: Marie Fürstin Thurn und Taxis, geb. Prinzessin Hohenlohe-Waldenburg-Schillingsfürst, 1851–1934. Die mütterliche Freundin und Briefpartnerin Rilkes, die auch H. v. H. freundschaftlich verbunden war. (Vgl. H. v. H., ›Geleitwort. Zu einem Märchen der Fürstin Marie von Thurn und Taxis‹. Jetzt in Prosa IV.)

H. v. N. 7. 5. 11 105

unsere Theatertruppe: die Förderung eines Wandertheaters gehörte zu den Aufgaben des Auerbacher Amtshauptmanns. Vgl. hierzu den Abschnitt ›Einiges aus der Kleinstadt‹ in ›Aus dem alten Europa‹.
Vieilles Maisons, Vieux papiers: von Georges Lenôtre, 6 Serien, Paris, 1900 ff.

H. v. H. 16. 5. 11 106

. . . Lust zu vielfacher Arbeit: H. v. H. schrieb in den folgenden Monaten für Strauss ›Ariadne auf Naxos‹, Oper in einem Aufzug, zu spielen nach ›Der Bürger als Edelmann‹ des Molière. (E: Verlag Adolph Fürstner, Berlin, 1912. Jetzt in Lustspiele III) und vollendete im Spätsommer den ›Jedermann‹. Das Spiel vom Sterben des reichen Mannes, erneuert von . . . (E: SFV, 1911. Jetzt in Dramen III).

H. v. N. 2. 7. 11 107

mit Hofmanns: Ludwig von Hofmann und seine Frau.

H. v. H. 22. 9. 11 107

die Ausführung einer modernen Prosa-comödie: ›Der Schwierige‹, Lustspiel in 3 Akten. E: ›Neue Freie Presse‹, Wien, 1920. Jetzt in Lustspiele II.
Brahm: Otto Brahm (eigentlich Abrahamsohn), 1856–1912. Ursprünglich Literarhistoriker und Theaterkritiker, Mitbegründer der Berliner Zeitschrift ›Freie Bühne‹, die dem naturalistischen Drama zum Durchbruch verhalf. 1894–1903 Direktor des Deutschen Theaters, seit 1904 Direktor des Lessingtheaters in Berlin.
Eulenbergpremière: ›Alles um Geld‹, Drama in fünf Akten von Herbert Eulenberg (1876–1949).

2 Pantomimen: ›Amor und Psyche‹ und ›Das fremde Mädchen‹. E: Szenen, SFV, 1911. Jetzt in Dramen III.

das kleine Büchlein: ›Szenen‹. Sie enthalten außer den vorstehend genannten beiden Pantomimen die Betrachtung ›Über die Pantomime‹ (jetzt in Prosa III), Goethes Aufsatz ›Der Tänzerin Grab‹, zwei Gleichnisse des Tschuang-Tse, deutsch von Martin Buber, ›Furcht‹, Ein Gespräch (jetzt in Prosa II) sowie Photographien Grete Wiesenthals und Lilly Bergers.

Carl Fürstenberg: Karl Emil Prinz zu Fürstenberg, 1867–1945.

seine Frau: Margarete, geb. Marschalk, 1875–1957. Gerhart Hauptmanns zweite Frau.

109 H. v. H. 26. 11. 11

Premiere meines Bühnenspiels Jedermann: Uraufführung des ›Jedermann‹ im Zirkus Schumann in Berlin (Regie Max Reinhardt), mit Alexander Moissi in der Hauptrolle, am 1. 12. 1911. Vgl. H. v. H., ›Das Spiel vor der Menge‹. E: ›Pan‹, 1911. Jetzt in Prosa III.

110 H. v. N. 10. 2. 1912

Gräfin Kalckreuth: Berta Gräfin Kalckreuth, geb. Gräfin York von Wartenburg, 1864–1928. Frau des Malers Leopold Kalckreuth.

110 H. v. N. 6. 4. 12

Athen: A. und H. v. N. befanden sich auf einer mehrwöchigen Griechenlandreise.

Nijinsky: Vaclav Nijinsky, 1891–1950. Russischer Tänzer in Diaghilews Russischem Ballett, später lange Jahre geistig umnachtet. Vgl. H. v. H., ›Nijinskys 'Nachmittag eines Fauns'‹. E: ›Berliner Tageblatt‹, 1912. Jetzt in Prosa III.

111 H. v. H. 11. 4. 12

Director des russischen Balletts: Serge Diaghilew, 1872–1929. H. v. H. plante damals ein Ballett über Orest und die Furien (›Die Furien, Tragisches Ballett in einem Aufzug‹. Ungedruckt, in Privatbesitz.) – ein Projekt, das über den ersten Entwurf nicht hinausgedieh, da Richard Strauss Bedenken äußerte. Vgl. hierzu die Briefe H. v. H.'s an Strauss vom 8. 3. und 23. 6. 1912 in ›Richard Strauss/Hugo von Hofmannsthal, Briefwechsel‹, 3. Aufl., Zürich, 1964.

112 H. v. N. 15. 7. 12

Mein Vater: Conrad von Beneckendorff und von Hindenburg, 1830–1913. Preußischer Generalmajor.

das Anhören der Lebensgeschicke der Referendare und Assessoren: gemeint sind die jungen Mitarbeiter der Amtshauptmannschaft.

Gustav . . . ist gealtert: Gustav Richters Bruder Raoul, Professor der Philosophie in Leipzig, war Ende 1911 einundvierzigjährig nach langer schwerer Krankheit in Wannsee gestorben. Gustav Richter war in jener Zeit bei ihm. Vgl. H. v. H., ›Raoul Richter, 1896‹. E: ›Raoul Richter zum Gedächtnis‹, Privatdruck der ›Insel‹, 1914. Jetzt in Prosa III.

die Reise nach Italien: H. v. H. unternahm diese Fahrt mit seiner Frau und Gräfin Ottonie Degenfeld-Schomberg.

Rudolf Borchardt und seine Frau: Rudolf Borchardt, 1877–1945. Dichter und Essayist. Er war damals in erster Ehe mit der Malerin Karoline Ehrmann verheiratet, die 1942 in Theresienstadt umkam. In einem Brief Rudolf Borchardts an Josef Hofmiller vom 14. 6. 1912 (›Neue Deutsche Hefte‹, Jg. 2, 1955/56, S. 32 ff.) heißt es: »In Lucca war Hofmannsthal auf dem Hinwege nach Rom einen schönen Tag mit uns zusammen, auf dem Rückwege ist er mit seinen Damen gar hier hinauf geklettert, und wir haben in unserem kühlen Bauernsälchen, auf dessen Wänden aber doch gemalte Ahnenporträts wie nur in irgend einem Palazzo Strozzi hängen, an der mit Enzian und Schlüsselblumen bestreuten Tafel gegessen wie die Könige. Seit zehn Jahren war dies wieder unsere erste Zusammenkunft – eine flüchtige Begegnung abgerechnet –, eine ganze Welt ist uns inzwischen zerfallen und neuentstanden, geblieben ist von dem was uns einigt nur das Unvergängliche, das uns, nach ausgeblühter irdischer Jugend, die andere verbürgt, die uns nie entflieht . . .«

eine alte Fürstin Altieri: Olga Principessa Altieri geb. Fürstin Kantakuzenos (1843–193?), mit Borchardt befreundet; Eigentümerin der Villa, in der er damals lebte.

Placci: Carlo Placci, 1861–?. Italienischer Schriftsteller und Journalist.

Gräfin Serristorti: vermutlich Gräfin Serristori aus der bekannten Florentiner Familie.

. . . als würde ich wieder Gedichte machen: über die Gedichtpläne vgl. Näheres in den von Werner Volke im ›Jahrbuch der deutschen Schillergesellschaft‹, VII/1963, S. 44 ff. neu mitgeteilten und kommentierten Briefen und Briefentwürfen H. v. H.'s an Rudolf Borchardt.

nach Lauchstätt: in Bad Lauchstädt (Sachsen-Anhalt), einem vor allem im 18. Jh. beliebten Badeort, veranstaltete vor dem ersten Weltkrieg das Weimarer Theater, wie schon unter Goethe, Sommerfestspiele.

im October in Stuttgart: zur Uraufführung von ›Ariadne auf Naxos‹,

Oper in einem Aufzug von H. v. H., Musik von Richard Strauss, Op. 60 (erste Fassung von 1910). Sie fand am 25. 10. 1912 in der Inszenierung Max Reinhardts und unter musikalischer Leitung des Komponisten statt.

in Gestalt eines abgetypten Briefes von mir an Strauss: offenbar die Originalfassung des Briefes (Briefwechsel H. v. H./Strauss, S. 132 ff), der sodann für die Öffentlichkeit redigiert wurde: ›Ariadne. Aus einem Brief an Richard Strauss‹. E: ›Almanach für die musikalische Welt‹, 1912. Jetzt in Prosa III.

115 H. v. N. 20. 8. 12

einen Tag mit Rodin: im Herbst 1902 oder 1903; in beiden Jahren besuchte Rodin die damalige Helene von Hindenburg und ihre Mutter in deren Haus in Ardenza.

auf dem Turm: der Turm des Palazzo Guinigi.

van Gogh . . . Ihren Aufsatz: ›Die Briefe des Zurückgekehrten. Der vierte.‹ E: ›Kunst und Künstler‹, 1908. Jetzt in Prosa II.

Borchardts Rede über Sie: ›Rede über Hofmannsthal‹, erschienen ohne Genehmigung des Autors bei Julius Zeitler, Leipzig, 1905. Jetzt in ›Rudolf Borchardt, Reden‹, Stuttgart, o. J.

116 H. v. H. 8. 9. 12

Gräfin Margit Zichy geb. Zichy: geb. 1874.

des einarmigen Claviervirtuosen: Graf Géza Zichy, 1849–1921.

Botho Schwerin: Graf Botho von Schwerin, 1866–1917. Bedeutender Chemiker, Entdecker der Elektro-Osmose, Gründer der Elektro-Osmose G.m.b.H. (1911). Korpsbruder und naher Freund von Eberhard von Bodenhausen.

117 H. v. N. 11. 9. 12

des zweiten Babys: v. N.'s Sohn Herbert, geb. 1911.

119 H. v. H. 23. 9. 12

bin an einer Arbeit . . .: ›Andreas oder Die Vereinigten‹. Fragment gebliebener Roman. Jetzt in Die Erzählungen.

Arnim: Achim von Arnims Werke in 3 Bänden, Leipzig, 1911.

120 H. v. N. 5. 11. 12

das Telegramm: dieses Telegramm ist nicht aufzufinden.

das Stück: ›Ariadne auf Naxos‹.

Ich dächte, es müßte gehn . . .: damit dürfte ein literarischer Versuch gemeint sein, von dem vermutlich bei der Stuttgarter Zusammenkunft die Rede war.

die Tage in Stuttgart: H. v. N. berichtet darüber in den ›Aufzeichnungen‹: »Stuttgart, Ariadne mit Kessler, Hofmannsthal. Oktober 1912. Wohnen über der Stadt, das Meer von Lichtern. Gespräch mit Reinhardt über die Aufrichtigkeit des Schauspielers; wie im Leben die begründende Eigenschaft. Jeder Akt von Shakespeare ein abgerundetes Ganzes, während bei den Jetzigen kaum ein Stück etwas Abgerundetes gibt.«

Wassermann: Jakob Wassermann, 1873–1934. Romanschriftsteller. Mit H. v. H. befreundet.

H. v. H. 22. 11. 12   121

Wiecke: Paul Wiecke, 1862–1944. Hofschauspieler, in den zwanziger Jahren Direktor des Sächsischen Staatstheaters.

H. v. H. 29. 11. 12   121

Eintreffe Reichenbach: über diesen zweiten Besuch Hofmannsthals in Auerbach und das anschließende Zusammensein in Dredsen anläßlich der ›Jedermann‹- und der ›Ariadne‹-Aufführung schreibt H. v. N. in den ›Aufzeichnungen‹: »Tage mit Hofmannsthal. Auerbach/Dresden, 1. bis 4. Dezember 1912. Gespräche: Ein Kanarienvogel kann auch mit einem Gewitter zusammentreffen, aber er ist dann kein Gewitter – in Verbindung, daß sich archaische Tanten mit Leonardo träfen.

Bücher dürfen nur umherliegen, wenn sie durch einen inneren Vorgang hingelegt sind wie Blumen, sonst bekommt solch ein Vorgang etwas Gespenstisches, Übernatürliches.

Spaziergänge im Sternenschein durch dunkle Felder. Gespräch über Liebe.

Erster Abend: Vorlesen der deutschen Oden von [Rudolf Alexander] Schröder.

Zweiter Abend: Vorlesen von Hofmannsthals Aufsätzen über Griechenland. Der Wanderer, tief dramatisch, alle Elemente des Dramas enthaltend. Erinnerung an Raoul Richter, wo er das Licht auf der Stirn so wunderbar gesehen . . .

Dresden. Abend mit H. allein in der Ariadne. Gespräche über die archaischen Frauen.

Generalprobe von Jedermann: reiner und wunderbarer Eindruck. Das Zurückfallen der Vorhänge und dahinter die Sternennacht. Wiecke abgeklärt und groß.

Nachher auf der Bühne zwischen den Schauspielern.

Spaziergang gegen Abend mit H. im Garten des Japanischen Palais. Tiefes Gespräch über unfaßliche Dinge. Die Stadt wie ein Edelstein, blaurosa in der Dämmerung, und wie eine Antwort auf unsere Fragen dem geheimnisvollen Leben gegenüber verschwand sie ganz in der Nacht, nur noch einige Lichter spiegelten sich in dem schwarzen Fluß.

Morgens in der Galerie vor dem Tizian: die Venus in der Landschaft. ›Sie ruht dort wie die Geliebte in der Seele‹, sagte Hofmannsthal. Wir waren auch in einen Cranach mit blauen Bergen wie
Edelsteine so vertieft, daß wir für Rembrandt dann nichts mehr
übrig hatten.«
Zu H. v. H.'s vielleicht nicht ganz zutreffend wiedergegebenem
Wort über den Kanarienvogel vgl. seinen Brief an Strauss vom
8. 3. 1912: ». . . Kanarienvögel, sagt Hebbel, dürfen nicht das Gewitter nachmachen wollen.«
Über das Vorlesen der deutschen Oden vergl. H. v. H.'s Brief an
R. A. Schröder vom 2. 12. 1912 (in ›Neue Rundschau‹, Heft 10, April
1948): »Ich las gestern den guten Menschen hier deine neuen deutschen Oden, dann noch mehr als die Hälfte von den älteren und war
im tiefsten betroffen und gerührt, wiederum, von der unsäglichen
Schönheit dieser Gedichte . . .«
Mit ›Vorlesen von Hofmannsthals Aufsätzen über Griechenland‹
sind die beiden ersten Stücke der ›Augenblicke in Griechenland‹
gemeint. Das dritte Stück ›Die Statuen‹ entstand erst 1914. I: E:
›Der Morgen‹, 1908; I–III: E: Die Prosaischen Schriften III, SFV,
1917. Jetzt in Prosa III.
H. v. N. gedenkt des Besuches H. v. H.'s in Auerbach auch in ›Aus
dem alten Europa‹. Vgl. dazu das Vorwort.

121 H. v. H. 11. 12. 12
  fahre . . . nach Darmstadt: zu der Generalprobe des ›Jedermann‹ und
  einem Frühstück bei Großherzog Ernst Ludwig. Vgl. Brief an
  Strauss vom 9. 12. 1912.
  Das was ich geschrieben hatte: vermutlich H. v. H.'s Aufsatz über
  Raoul Richter (s. Anm. zu H. v. N. 15. 7. 12).
  Es ist Sorge, als wären Sie zu Schiff . . . : H. v. N. sah sich damals in-
  folge einer menschlichen Begegnung vor eine schwere Entscheidung
  gestellt, die einen Verzicht einschloß. Im Laufe des Dresdener Ge-
  spräches mit H. v. H. (vgl. Anm. zu H. v. H. 29. 11. 12), in dem sie
  ihm ihre Lage andeutete, hatte sie seinen Rat erbeten und erhalten.

122 H. v. N. 15. 12. 12
  die lächelnde Frau: die Photographie einer Kore-Statue aus dem
  Akropolismuseum. Vgl. hierzu H. v. N.'s Brief aus Athen vom
  6. 4. 12 (»bei den lächelnden archaischen Frauen«) und die in der
  Anm. zu H. v. H. 29. 11. 12 wiedergegebenen ›Aufzeichnungen‹
  (»Gespräche über die archaischen Frauen«).
  an den Wanderer: ›Der Wanderer‹, das zweite Stück der ›Augenblicke in Griechenland‹.

H. v. H. 21. 12. 12
... man sieht sich in 8 Tagen: A. und H. v. N. verbrachten in der
Tat das Jahresende im Schloß der Gräfin Wendelstadt in Neubeuern
mit Hofmannsthals, Bodenhausens, Ottonie Degenfeld, Henry van
de Velde, Rudolf Alexander Schröder und Annette Kolb.

H. v. H. 19. 2. 1913
durch Ihren Brief: dieser Brief von H. v. N., in dem sie H. v. H.
offenbar über ihre im Anschluß an das ›Gespräch im Japanischen
Garten‹ (H. v. N. 15. 12. 12) getroffene Entscheidung unterrich-
tete, ist nicht erhalten.

H. v. N. 11. 5. 13
in der Nähe des Todes: H. v. N.'s Vater war gestorben.
nach Leipzig versetzt: A. v. N. war Amtshauptmann in Leipzig geworden.
des Chamberlainschen Goethe: Houston Stewart Chamberlain,
›Goethe‹, München, 1912.
in Mechtild Lichnowskys Buch: vermutlich M. Lichnowsky, ›Götter,
Könige und Tiere in Ägypten‹, Leipzig, 1912.

H. v. H. 16. 5. 13
eine Woche bei Borchardt: H. v. H. war vom 9. bis 17. April, zusammen mit R. A. Schröder, Gast in Rudolf Borchardts Landhaus
bei Lucca.

H. v. N. 2. 6. 13
Herr Classen: Dr. Walter F. Classen (geb. 1874), Pädagoge und
Schriftsteller. Später im Hamburger höheren Schuldienst.

H. v. N. Januar 1914
die griechischen Prosastücke: H. v. H., ›Augenblicke in Griechenland‹.
durch Ihren Besuch: der Besuch H. v. H.'s in Leipzig fand erst am
1. und 2. März 1916 statt.
mit dem Virgil: ›Die Eklogen Vergils in der Ursprache und deutsch,
übersetzt von Rudolf Alexander Schröder; mit Illustrationen ge-
zeichnet und geschnitten von Aristide Maillol‹, Weimar, 1926. Die
Satzanordnung für dieses Werk der Cranach-Presse traf Graf Kessler selbst.
Maillol zeichnete und schnitt eigenhändig die 43 Illustrationen –
unter Verwendung von Motiven ›aus seiner nächsten Umgebung
und Bekanntschaft‹ – und eine Reihe von Ornamenten; die Holz-
schnitte der Titel und großen Versalien stammen von Eric Gill. Die

Drucklegung begann im Frühjahr 1914, wurde dann durch den Krieg unterbrochen, 1925 wieder aufgenommen und im April 1926 beendet.

128 H. v. H. 23. 1. 14
Der dritte griechische Aufsatz: H. v. H., ›Die Statuen‹ in ›Augenblicke in Griechenland‹.

mit dem halbverschollenen »Märchen«: ›Das Märchen der 672. Nacht‹. E: ›Die Zeit‹, Wien, 1895. Jetzt in Die Erzählungen.

»Bergwerk von Falun«: ›Das Bergwerk zu Falun‹. Der 1. Akt erschien Oktober 1900 in der ›Insel‹, 2. Jahrgang, 1. Heft, später in ›Kleine Dramen‹, Insel-Verlag, Leipzig, 1906; Akt 2 und 5 in ›Rodauner Nachträge‹, Band 1, 1919; der 4. Akt in ›Almanach der Wiener Werkstätte‹, 1914; der 5. Akt in der Zeitschrift ›Hyperion‹, 1907; (Akt 2–5 zusammen in ›Corona‹, Jahrgang III, Heft 1, Oktober 1932 und Heft 2, Dezember 1932). Jetzt in Gedichte und Lyrische Dramen, die Frühfassung einer Szene in Dramen IV.

aus dem »kleinen Welttheater«: ›Das Kleine Welttheater oder Die Glücklichen‹. Dramatische Dichtung, erschienen im Insel-Verlag, Leipzig, 1903. Vor der Buchausgabe erschien in ›Pan‹, III. Jahrgang, 3. Heft, Dezember 1897: ›Figuren aus dem Puppenspiel 'Das kleine Welttheater'‹ und unter dem Titel ›Aus einem Puppenspiel‹ der Schluß der Dichtung in der Wochenschrift ›Die Zukunft‹, Berlin, 22. Band, Heft 20, 1898. Jetzt in Gedichte und Lyrische Dramen.

»Brief des Lord Chandos«: ›Ein Brief‹. E: ›Der Tag‹, Berlin, 1902. Jetzt in Prosa II.

Ist Leipzig ein »klein Paris«?: vgl. Goethe, ›Faust I‹, Auerbachs Keller: *Frosch:* »Wahrhaftig, du hast recht! Mein Leipzig lob ich mir! Es ist ein Klein Paris und bildet seine Leute.«

Kippenberg: Prof. Dr. Anton Kippenberg, 1874–1950. Inhaber und Leiter des Insel-Verlages.

seine Gattin: Katherina Kippenberg, geb. v. Döhring, 1876–1947. H. v. H. hat Katherina und wohl auch Anton Kippenberg erst am 1. 3. 1916 in Leipzig persönlich kennengelernt. Vgl. hierzu einen im Marbacher Archiv verwahrten Brief H. v. H.'s an K. K. vom 10. 3. 1917: »... nun ist es ein Jahr her, daß eine freundliche Stunde des Zusammenseins uns für einander aus Gespenstern zu wirklichen Wesen gemacht hat . . .«.

Klinger: Max Klinger, 1857–1920. Maler, Radierer, Bildhauer.

Martersteig: Max Martersteig, 1853–1926. Von 1912 bis 1918 Leiter der Leipziger Bühnen.

130 H. v. N. 13. 4. 14
nicht nach Paris kommen können im Mai: die Uraufführung des Balletts

›Josephslegende‹ – Handlung von H. v. H. und Harry Graf Kessler, Musik von Richard Strauss – fand am 14. 5. in der Pariser Oper mit dem Russischen Ballett unter musikalischer Leitung des Komponisten statt. (E: Adolph Fürstner, Berlin 1914. Jetzt in Dramen III.)

Frau von Watzdorff in ihrem Buch: ›Maria und Yvonne‹. Roman von Erika von Watzdorff-Bachoff, 1914.

die jungen Kurt Wolffs: der Verleger Kurt Wolff (1887–1963) und seine erste Frau Elisabeth, geb. Merck. Der Kurt Wolff Verlag war – nach K. W.'s Trennung von Ernst Rowohlt – am 5. 2. 1913 in Leipzig gegründet worden. Vgl.: Kurt Wolff, ›Autoren, Bücher, Abenteuer‹, Berlin, 1965.

»Werfel«: Franz Werfel (1890–1945) war damals Lektor im Kurt Wolff Verlag.

Die Wege und Begegnungen: H. v. H., ›Die Wege und die Begegnungen‹. E: Die Zeit, 1907. Erster Druck der von Willy Wiegand und Ludwig Wolde begründeten Bremer Presse, 1913. Jetzt in Prosa II.

Gide: André Gide, 1869–1951.

die Becker: vermutlich Leipziger Schauspielerin.

H. v. H. 25. 9. 14   131

Der Umschlag dieses Briefes ist von H. v. H. wie folgt beschriftet: »Offen. I. H. Frau von Nostitz-Wallwitz geb. von Hindenburg
Leipzig, Wiesenstraße 5
Abs. Leutnant v. Hofmannsthal, Wien I, Elisabethenstraße 6.«

im Süden der Monarchie eingerückt: H. v. H. hatte am 26. 7. seine Einberufung als Leutnant der Reserve erhalten und war zunächst mit einem Landsturmregiment ins südliche Dalmatien eingerückt.

der Name Hindenburg: Paul von Beneckendorff und von Hindenburg (1847–1934) war ein Vetter des Vaters von H. v. N. Die Schlachten von Tannenberg (26.–31. August 1914) und an den Masurischen Seen (6.–14. September 1914) hatten ihn auch in Österreich populär gemacht.

H. v. N. 29. 9. 14   133

Der Brief von Schröder: offenbar der von H. v. H. am 14. 9. 1914 in ›Wiener Neue Freie Presse‹ unter der Überschrift ›Deutscher Feldpostgruß und Österreichs Antwort‹ veröffentlichte Feldpostbrief R. A. Schröders mit dem Gedicht ›Österreich, Österreich hab' nur Geduld‹. Daran schloß sich H. v. H.'s Gedicht ›Österreichs Antwort‹. In einem bisher unveröffentlichten Brief vom 16. 9. 14 bittet H. v. H. R. A. Schröder gewissermaßen dafür um Entschuldigung, daß ohne Wissen des Freundes »fast Dein ganzer Brief an mich« abgedruckt wurde: ». . . wir sind ja jetzt eine Familie und jedes gute schöne Wort gehört allen . . .«.

Heymel: Alfred Walter Heymel starb an Schwindsucht am 24. 11. 1914 in Berlin. Vgl. hierzu Henry van de Velde, ›Geschichte meines Lebens‹, S. 378 ff.

133 H. v. H. an A. v. N. 24. 8. 1916

Ihre Mission in Wien: A. v. N. war zum Sächsischen Gesandten in Wien ernannt worden und hatte im Juni 1916 seinen Posten angetreten. Bald danach hatte das Ehepaar, gemeinsam mit Rilke, H. v. H. in Rodaun besucht. H. v. N. schrieb hierüber an Katherina Kippenberg am 7. 6. 1916: »Mit Rilke machte ich neulich einen schönen Spaziergang durch die Rodauner Landschaft. Wir waren dann abends bei Hofmannsthal. Es waren grade die Tage der starken Depression über die letzten Geschehnisse [. . .] Hofmannsthal stand sehr unter diesem Druck, da er doch intensiv mit seinem Land empfindet, während Rilke wohl mit allen Ländern fühlt.« Über dieselbe Begegnung heißt es in ›Aus dem alten Europa‹: »Und nun am Abend stehen wir vor Hofmannsthals Haus. In den sanft rosa Barockräumen leuchten schon matte Lampen und Kerzen. Hier wird Österreichs Seele gespürt und gehütet. Wir sitzen im Kreis in Hofmannsthals Schreibzimmer, und er beginnt in der suchenden Art, mit der er immer tiefer in das Wesen der Dinge dringen möchte, indem er sie umwendet, stark beleuchtet und dann wieder in den Schatten zurücksinken läßt, uns dies Wien, dies Österreich darzustellen, in dem wir nun leben sollen und das er so glühend liebt. Welche schillernde Vielseitigkeit offenbart dieses so schwer greifbare Gebilde unter seinen Worten. Einzelne Gestalten . . . tauchen auf.
›Und Wien besitzt wirklich noch eine Gesellschaft, die ein Gesicht hat. Die Menschen haben Stil und Allüren, wenn sie auch sonst manchmal nichts anderes haben. Aber diese Gesellschaft ist wirklich da, man muß mit ihr rechnen‹. . .«

Tschirschky: Heinrich Leonhard Tschirschky und Boegendorff, 1858–1916. Von 1907 bis zu seinem Tode Deutscher Botschafter in Wien.

die IVte Serie der österr. Bibliothek: eine von H. v. H. während des Krieges begründete Schriftenreihe, die österreichische Wesensart vor allem den Reichsdeutschen nahebringen sollte. 1915–1917 erschienen insgesamt 26 Bändchen im Format der Inselbücherei im Insel-Verlag, Leipzig. Vgl. mehrere Vorankündigungen in Prosa III.

Das Buch von Kjellen: der Schwede Johann Rudolf Kjellen (1864 bis 1922) war der Begründer des geopolitischen Denkens. Die deutsche Ausgabe seines Buches ›Die politischen Probleme des Weltkrieges‹ in der Übersetzung von Dr. Friedrich Stieve erschien 1916 in Leipzig.

»*Ariadne*«: neue Bearbeitung der ›Ariadne auf Naxos‹ von 1912, namentlich mit neuem Vorspiel an Stelle von ›Der Bürger als Edelmann‹ von Molière. Uraufführung in der Wiener Hofoper unter der musikalischen Leitung von Franz Schalk mit Maria Jeritza als Ariadne am 4. Oktober 1916.
des beigeschlossenen Briefes: dieser hatte folgenden Wortlaut:

hochverehrter Herr Hofrat!   »Wien den 28ten [September 1916]

der sächsische Gesandte Herr von Nostitz-Wallwitz wendet sich an den unvermögendsten u. ungeeignetesten aller Sterblichen, nämlich an mich, mit dem Wunsch, für die Opernpremière an Kaisers Namenstag eine Loge zu bekommen. Darf ich mir die Freiheit nehmen, ihn der einzig competenten Stelle und der liebenswürdigen Persönlichkeit, derer ich mich mehrfach dankbar erinnere, durch diese Zeilen zu introducieren?
indem ich mich der Gelegenheit freue, den Ausdruck besonderer Hochschätzung zu erneuen, verbleibe ich, Herr Hofrat,
Ihr Ihnen sehr ergebener   Hofmannsthal«
Dieser Brief wurde von A. v. N. nicht abgesandt.

Ihr kleiner Brief: dieser Brief ist nicht aufzufinden.
Rede von Lloyd George: der damalige britische Kriegsminister hatte am 28. 9. 16 dem amerikanischen Korrespondenten Roy W. Howard erklärt, daß er eine etwaige Friedensvermittlung des amerikanischen Präsidenten Wilson mißbilligen würde und jedes Friedensgerede im jetzigen Zeitpunkt entschieden ablehne. Vgl. ›War Memoirs of David Lloyd George‹, London, 1938, Vol. I., S. 589 ff.
Kessler . . . auf seinem Wege nach Bern: Kessler war durch Vermittlung Eberhard von Bodenhausens mit der Durchführung deutscher Kulturpropaganda in der Schweiz betraut worden.
. . . auf dem Wege nach Stockholm und Kristiania: H. v. H. hielt dort im Dezember 1916 die Vorträge ›Gesetz und Freiheit‹ und ›Die Idee Europa‹. S. hierzu ›Aufzeichnungen zu Reden in Skandinavien‹ (E: ›Corona‹, 1932) und ›Die Idee Europa, Notizen zu einer Rede‹ (E: ›Europäische Revue‹, 1930). Beide jetzt in Prosa III.
H. K.: Harry Kessler.
Am Abend des 4ten: bei der Ariadnepremiere.

ich spreche Samstag 21ten: der Vortrag ›Österreich im Spiegel seiner Dichtung‹ (E: ›Presse‹, 1916. Jetzt in Prosa III) fand am 21. Oktober statt, dem gleichen Tage, an dem der österreichisch-ungarische Ministerpräsident Graf Stürgk von Viktor Adler erschossen worden war. H. v. N. schreibt hierüber in ›Aus dem alten Europa‹: »Am Abend desselben Tages sprach Hofmannsthal in einem öffentlichen Saal über Österreichs Dichter und das geheimnisvolle Walten der Geschehnisse, die wir als Politik bezeichnen. Der Hintergrund des tragischen Ereignisses, das die Luft noch durchzitterte, gab seinen Worten einen besonderen Klang. Sein Gesicht war blaß und erregt . . .«.

140   H. v. H. an A. v. N. 22. 10. 16
Hoyos: Ludwig Alexander Georg Graf Hoyos, 1876–1937. Österreichischer Diplomat, 1912–1917 (mit kurzer Unterbrechung) Kabinettschef im Ministerium des Äußern, wo er maßgeblichen Einfluß ausübte.

140   H. v. H. an A. v. N. 5. 8. 1917
Ihre nächsten Sorgen und Hoffnungen: am 12. 8. 17 wurde v. N.'s Tochter Renata geboren.
eine Zeit gesteigerter innerer Lebendigkeit: H. v. H. arbeitete damals vor allem an ›Der Schwierige‹ sowie der Prosafassung von ›Die Frau ohne Schatten‹ (E: SFV, 1919. Jetzt in Die Erzählungen).
die böhmischen Eindrücke im Juni: Vgl. dazu H. v. H.'s Brief an v. Bodenhausen vom 10. 7. 17: ». . . lange noch schüttert mein ganzes Ich. So waren diese zwei Wochen in Prag unter den Böhmen . . . Dies, dies ist jetzt die Agonie, die eigentliche Agonie des tausendjährigen heiligen römischen Reiches deutscher Nation. . .«.
Robert Ehrhardt: Robert Freiherr von Ehrhardt, 1870–1956. Schriftsteller. Seine Mutter: Celia geb. Freiin von Torresani von Langenfeld, 1847–1920.

141   H. v. H. an A. v. N. 3. 11. 17
Herr Blei: Franz Blei, 1871–1942. Schriftsteller und Übersetzer, Herausgeber von ›Die Weißen Blätter‹.

143   H. v. H. an A. v. N. 20. 1. 1918
Pannwitz: Rudolf Pannwitz, geb. 1881. Dichter und Kulturphilosoph. Unter dem Eindruck seines Buches ›Die Krisis der europäischen Kultur‹ trat H. v. H. mit ihm in nähere Verbindung und brachte ihn mit seinen Freunden zusammen, so auch mit dem Ehepaar Nostitz. Vgl. die ›Wiener Notizen‹ in H. v. N., ›Aus dem alten Europa‹.
Copien von Briefen Pannwitz-Schröder: in einem Briefe H. v. H.'s an R. A. Schröders Schwester Clara vom 20. 1. 18 heißt es, er habe

Blätter in Händen gehalten, »in denen Rudi mir an einem kurzen, aber inhaltsreichen Briefwechsel zwischen ihm und Rudolf Pannwitz Anteil gewährt hatte: die Kopie von Rudolf Pannwitz' Brief und Rudis Antwort. Wie schön tritt mir aus dieser Antwort Rudis ganzes Wesen entgegen: das hohe Strenge, Traurige und zugleich die unsägliche Urbanität, die besondere Art von deutscher Grazie und Anmut, die reizende Art von ›Welt‹, von Verbindlichkeit und Überlegenheit bis zum Zynismus – die alle seine Lebensäußerungen so besonders imprägniert, wie nach Sandelholz-Zigaretten und alten Büchern, wenn man anders ein geistiges Parfüm mit Worten bezeichnen könnte . . .«. Dieser Brief R. A. Schröders vom 11. 12. 17 ist abgedruckt in ›Neue Rundschau‹, 1960, S. 410–413.

ein älterer Brief von Borchardt an mich: vermutlich der Brief Rudolf Borchardts aus Berlin vom 12. 12. 17, der vor allem politische Informationen enthält (vgl. H. v. H./Rudolf Borchardt, Briefwechsel, S. 128).

Foerster: Friedrich Wilhelm Foerster, geb. 1869. Ethiker, Politiker, Pädagoge. Er besuchte 1917 Wien und nahm Fühlung mit dortigen politischen Kreisen. Eine Sammlung seiner Aufsätze aus der letzten Phase des ersten Weltkrieges, die er selbst als ›Beiträge zur Soziologie und Psychologie des Verständigungsfriedens‹ bezeichnete, enthält der Band ›Weltpolitik und Weltgewissen‹, München, 1919.

Irene Hellmann: geb. 1882, umgekommen 1944 im K.Z. Auschwitz, Schwester von Professor Josef Redlich und Frau des mit H. v. H. und Strauss befreundeten Großindustriellen Paul Hellmann.

Schema: Österreicher-Preuße: ›Preuße und Österreicher. Ein Schema‹. E: Vossische Zeitung, 1917. Jetzt in Prosa III.

H. v. H. an A. v. N. 28. 5. 18 144
»Seeschlacht«: ›Seeschlacht. Tragödie‹ von Reinhard Göring. SFV, 1917.
der gewünschte Brief aus Prag: Näheres nicht zu ermitteln.

H. v. H. 3. 12. 18 144
freundliche gute Zeilen: der Brief von H. v. N., den sie vermutlich von dem Münsterschen Besitz Derneburg bei Hildesheim an H. v. H. schrieb, ist nicht erhalten.

H. v. H. an A. v. N. 23. 1. 1919 145
Frau Z.: Berta Zuckerkandl, geb. Szeps, 1863–1945. Witwe des Anatomen Hofrat Emil Z., Journalistin und Übersetzerin. Schrieb u. a. ›Ich erlebte fünfzig Jahre Weltgeschichte. Erinnerungen‹, Stockholm, 1939. Vgl. auch ›Wiener Notizen . . .‹ in ›Aus dem alten Europa‹.

Schüler: Dr. Richard Schüler, geb. 1870. Lebt in USA.

Dr. Bauer: Otto Bauer, 1882–1938. Damals österr. Staatssekretär für Äußeres.

Wilhelm Stolberg: Prinz Heinrich Wilhelm Stolberg-Wernigerode, 1870–1931. Vom Ersten Weltkrieg bis 1920 Botschaftsrat an der Deutschen Botschaft in Wien.

146 H. v. H. 14. 2. 1921
ein kurzer Brief: leider ist gerade dieser Brief nicht erhalten. H. v. N. schrieb ihn offenbar unter dem Eindruck der Aufführung von ›Der Abenteurer und die Sängerin‹ (E: SFV, 1899 in ›Theater in Versen‹. Jetzt in Dramen I.) – zugleich mit ›Florindo‹ – in dem damals von Felix Hollaender geleiteten Deutschen Theater in Berlin; die Premiere hatte am 7. Januar 1921 stattgefunden; die Aufnahme in der Berliner Öffentlichkeit war recht kühl.

146 H. v. H. 24. 9. 21
durch Ihren Brief: auch dieser Brief von H. v. N. ist verloren.

Raimund: Raimund von Hofmannsthal, geb. 1906.

in der römischen Geschichte: Theodor Mommsen, ›Römische Geschichte‹, 3 Bde., 1845–56.

griech. Geschichte: Ernst Curtius, ›Griechische Geschichte bis zur Schlacht von Chäronea‹, 3 Bde., 1857–61.

»Bilder aus der deutschen Vergangenheit«: von Gustav Freytag, 5 Bde., 1859–67.

meine »deutschen Erzähler«: ›Deutsche Erzähler‹. Ausgewählt und eingeleitet von H. v. H., Insel-Verlag, Leipzig, 1912.

Die Erzählungen von der Lagerlöf . . . die Legenden: Selma Lagerlöf (1858–1940) schrieb u. a. die Romane ›Gösta Berling‹ und ›Jerusalem‹, die Erzählungen ›Eine Herrenhofsage‹ und ›Herrn Arnes Schatz‹ sowie ›Christuslegenden‹.

der »große Krieg«: ›Der große Krieg in Deutschland‹ von Ricarda Huch (1864–1947), Leipzig, 1912–1914.

das Tagebuch eines Jägers: Iwan Sergewitsch Turgenjew, ›Aufzeichnungen eines Jägers‹, 1852.

Die Schröder'sche Odyssee: Homers Odyssee, neu übertragen von Rudolf Alexander Schröder, Leipzig, 1911.

147 H. v. N. Herbst 1922
Berlin Wilhelmshagen: A. v. N. leitete 1920–1924 eine Zweigstelle der zunächst in Berlin-Ost gegründeten Sozialen Arbeitsgemeinschaft Friedrich Siegmund-Schultzes in Wilhelmshagen bei Erkner (Mark).

Ihr großes Welttheater: ›Das Salzburger große Welttheater‹. E:

›Neue Deutsche Beiträge‹, Erste Folge, 1. Heft. Verlag der Bremer
Presse, München, Juli 1922. Jetzt in Dramen II.
die Aufführung: die Uraufführung von ›Das Salzburger große Welttheater‹ hatte am 12. 8. 22 in Max Reinhardts Inszenierung in der
Salzburger Collegienkirche stattgefunden.
die Volkshochschule: der Plan scheiterte in der Tat an der Inflation.
Grünfeld spielte noch einmal: Heinrich Grünfeld, 1855–1931. Violon-
cellist, der öfters im Richterschen Hause gespielt hatte. Vgl. hierzu
seine Autobiographie ›In Dur und Moll‹, Leipzig, 1923.

H. v. N. 1. 1. 1923   149
für die »geheimen Veranstaltungen des Lebens«: siehe H. v. H.'s Brief
vom 21. 12. 12: »... die geheimnisvolleren Veranstaltungen des
Lebens ...«.
unter Rodins Briefen: die Originale seiner Briefe an H. v. N. und
deren Mutter sind bisher unveröffentlicht. Deutsche Ausgabe: Auguste Rodin, ›Briefe an zwei deutsche Frauen‹, herausgegeben von
Helene von Nostitz mit Vorwort von R. A. Schröder, Berlin, 1936.

H. v. H. 13. 1. 23   150
die Bremer Presse: unter der Leitung Willy Wiegands und der Mit-
wirkung H. v. H.'s trat die schon 1913 gegründete ›Bremer Presse‹
mit dem von H. v. H. herausgegebenen Band ›Deutsches Lesebuch‹
und der ebenfalls von ihm herausgegebenen Zeitschrift ›Neue
Deutsche Beiträge‹ im Jahre 1922 als Verlag an die Öffentlichkeit.
Vgl. hierzu aus H. v. H.'s Feder die Vorrede zum Lesebuch, die
›Ankündigung‹ und die ›Anmerkung des Herausgebers‹ zu ›Neue
Deutsche Beiträge‹ sowie die ›Ankündigung des Verlages der Bre-
mer Presse‹, 1922. Jetzt in Prosa IV.
Von der Zeitschrift: ›Neue Deutsche Beiträge‹.
The Bacchic and Eleusinian mysteries, by Samuel Taylor: ein solches
Buch von Samuel Taylor (bzw. Samuel Taylor Coleridge) war
nicht zu ermitteln. Vermutlich handelte es sich um ›A Dissertation
on the Eleusinian und Bacchic Mysteries‹ von Thomas Taylor
(1758–1835), London, 1790. Neuausgabe unter dem Titel ›The
Bacchic and Eleusinian Mysteries. A Dissertation‹, New York, 1874.
Die Frau Jacob Wassermanns: Julie Wassermann, geb. Speyer.

H. v. N. Anfang Februar 1924   151
Der Anfang dieses Briefes zu H. v. H.'s 50. Geburtstag ist nicht
mehr vorhanden.
Ein kleines Buch, das bei Kessler gedruckt wird: die Erstausgabe von
›Aus dem alten Europa‹, die in der Cranach-Presse Kesslers in
150 Exemplaren gedruckt wurde, von denen 130 durch den Insel-
Verlag in den Handel gelangten.

Burckhardt: Carl J. Burckhardt, geb. 1891. Schweizer Historiker und Diplomat. Seit 1919 mit H. v. H. befreundet. Vgl. Carl J. Burckhardt, ›Erinnerungen an Hofmannsthal und Briefe des Dichters‹, München, 1948, und ›Hugo von Hofmannsthal/Carl J. Burckhardt, Briefwechsel‹, Frankfurt a. M., 1957. A. und H. v. N. hatten Carl J. Burckhardt im Herbst 1919 kennengelernt, als er Sekretär an der Schweizerischen Gesandtschaft in Wien war.

152 H. v. H. an A. v. N. 16. 6. 24
ganz unbegreiflich: A. v. N. notierte hierzu: »Ich war etwas bedrückt gewesen, daß ich Hofmannsthals 50. Geburtstag hatte vorübergehen lassen, ohne ihm eine freundschaftliche Zeile zu schreiben, weil ich die richtigen Worte nicht zu finden meinte.«
Ernst Hardt: 1876–1947. Dramatiker, in den zwanziger Jahren Intendant des Weimarer Nationaltheaters, später erster Leiter des Kölner Rundfunks.
Kühlmann: Richard von Kühlmann, 1873–1948. Staatssekretär des Auswärtigen Amtes 1917/18. Schrieb› Gedanken über Deutschland‹ (1931), ›Entwicklung der Großmächte‹ (1935),› Die Diplomaten‹ (1939), ›Erinnerungen‹ (1948), Romane (Der Kettenträger, 1932).
Briefwechsel des von der Marwitz mit Götz Seckendorff: der junge Dichter Bernhard von der Marwitz (1890–1918) und der Maler Götz von Seckendorff (1889–1914) fielen im ersten Weltkrieg. Der vollständige Briefwechsel zwischen beiden ist bisher nicht veröffentlicht. H. v. H.'s Bemerkung bezieht sich offenbar auf das 1923 erschienene Buch ›Eine Jugend in Dichtung und Briefen‹, herausgegeben von Otto Grautoff.
die Festschrift, die Borchardt . . . herausgebracht hat: Festschrift der Bremer Presse für H. v. H., ›Eranos‹; darin Rudolf Borchardts ›Brief über die geistige Entwicklung Deutschlands im späteren 19. Jahrhundert‹. Über H. v. H.'s Reaktion vgl. seine Briefe an Borchardt vom 4. und 25. 2. sowie 16. 9. 24 in ihrem ›Briefwechsel‹, S. 183 ff.
Der Bericht über eine . . . kleinasiatische Reise: Carl J. Burckhardt, ›Kleinasiatische Reise‹. E: ›Neue Deutsche Beiträge‹. B: Bremer Presse, 1924.

155 H. v. H. an A. und H. v. N. 22. 3. 1925
Ansichtskarte: mit einer Ansicht des Tores Bob in Guissa und der Stadt Fez.
Fez: Ende Februar bis Ende März unternahm H. v. H. eine Marokkoreise. Vgl. hierzu › Reise im nördlichen Afrika‹ mit den Unterabschnitten ›Fez‹ und ›Das Gespräch in Saleh‹. E: ›Neue Freie Presse‹ und ›Berliner Tageblatt‹, 1925. Jetzt in Prosa IV.

Karl Rohans neue Zeitschrift: die von Prinz Karl Anton Rohan her-
ausgegebene Monatsschrift ›Europäische Revue‹, 1925–1939. Vgl.
hierzu H. v. H. ›Europäische Revue‹. E: ›Neue Freie Presse‹, 1926.
Jetzt in Prosa IV.
Dein . . . entrefilet über das Buch von Unruh: Fritz von Unruh, ›Flügel der Nike. Buch einer Reise‹, Frankfurt a. M., 1925. A. v. N.'s
in Heft 1 der ›Europäischen Revue‹ erschienenes ›Entrefilet‹ hatte
folgenden Wortlaut:
»Fritz von Unruh, Flügel der Nike.

Dieses ›Buch einer Reise‹, das die vom Verfasser in Frankreich und
England gewonnenen Eindrücke in leidenschaftlichen Bildern ge-
staltet, wendet sich in jeder Zeile an Europa und hat schon deshalb
Anspruch auf Würdigung an dieser Stelle. Wir kennen Fritz von
Unruh als begnadeten Dichter. Sein Reisebericht hält sich freilich
nicht immer frei von theatralischer Rhetorik, und manche neue
Wendungen, zumal in der Stilisierung des Dialogs, erscheinen nicht
eben als sprachlicher Gewinn. Dennoch quillt auch aus den Aufzeichnungen eine Fülle von Schönheit, und wo immer in ihnen
Natur und Leben zu unmittelbarem, durch keine Reflexion ge-
brochenem Ausdruck kommen, wird auch der Leser berührt vom
Flügelrauschen des dionysischen Weltgefühls, das sich die Samo-
thrakische Nike zum Symbol wählt. Den Dichter indessen ver-
drängt nur zu oft der Prophet, der sich als Dolmetsch Gottes und
der Zukunft, als ›Mund der Geschichte‹ berufen glaubt. Hier wird
Einschränkung der Zustimmung vielfach Pflicht.
Von der Spitze des Eiffelturms sieht Unruh eines Tages das wim-
melnde Leben der Stadt und den scheinbar chaotischen Zufall sich
zu sinnvollem Rhythmus ordnen, und er erkennt im Gleichnis die
Bedingtheit des Urteils durch die D i s t a n z. Sein eigenes Urteil aber
bleibt befangen in einem Subjektivismus, der von seiner Person
und von mehr oder minder Zufälligem des persönlichen Schicksals
allzuwenig Abstand gewinnt und jedes geschichtliche Geschehen
infolgedessen in bedenklicher Verkürzung sieht. Gewiß, das mit
Millionen geteilte Erlebnis des Weltkrieges reicht über die nur persönliche Sphäre in ungeheurem Ausmaße hinaus; und wenn in Erinnerung an die Schlachtfelder von Verdun die ganze Furchtbarkeit
sinnwidrigen Völkerhasses den einstigen Offizier immer wieder er-
greift und die Sehnsucht nach haßbesiegender Liebe in ihm auf-
flammt, so hört man aus seinen brennenden Worten den Aufschrei
Europas. Wenn er dann aber vom Auge der Frau aus, ›in dem ihm
Gott begegnete‹, eine bei aller Tiefe des Gefühls naiv diesseitige
Erlösungslehre konstruiert, mit der er das christliche Kreuz zu er-
höhen und zu überwinden meint, so führt solche Normsetzung auf

Grund des höchstpersönlichsten aller Erlebnisse in ihren Konsequenzen zu einer unerhörten Verflachung des Problems. Von dem im engeren Sinne religiösen Fehlgehalt des so gewonnenen Weltbildes zu schweigen. Das Leben ist kein Maienmorgen – das des Einzelnen nicht, und ebensowenig das der Völker – und niemand wird Lebendigem Führer in höherer Stufe sein können, der sich nicht zugleich des notwendigen tragischen Einschlags in allem Geschehen bewußt ist und diese Tragik kühlen und mutigen Sinnes bejaht. Noch bedenklicher aber ist, daß Unruh – vielleicht nur in den Hintergründen seines Unterbewußtseins, aber eben deshalb mit schwer entrinnbarer Gewalt – von Kräften gehemmt und getrieben erscheint, die die Mission, zu der er sich berufen glaubt, im Kern gefährden. Zu beurteilen, inwieweit auch hier der Zwiespalt zwischen deutschem und slawischem Blut mitspielt, der Deutschland schon so manche reiche aber unausgeglichene Begabung geschenkt hat, steht uns nicht zu. Unruh selbst empfindet den stürmisch-anarchischen Zug seines Temperaments im tiefsten Grund offenbar als Empörung einer edlen Natur gegen den Zwang vergewaltigter Jugend. Von Gefährten dieser Jugend wird die Objektivität seines Erinnerungsbildes und die Berechtigung seines Ressentiments mit allem Nachdruck bestritten. Wie dem aber auch sei: die leidenschaftliche Reaktion gegen tatsächlichen oder nur vermeintlichen Zwang – umso leidenschaftlicher, als sie sich der leise mahnenden Überlieferung noch immer zu erwehren hat – steigert in ihm die begründete Kritik an den Unzulänglichkeiten einer Epoche zu maßloser, auch für den Nichtpreußen verletzender Ungerechtigkeit gegen das engere Vaterland, drängt ihn zum grundsätzlichen Widerspruch gegen alles geschichtlich Gewordene und treibt ihn darüber hinaus in eine Kampfstellung gegen jedwede Form und Bindung, welcher Art sie auch immer sei. Nur so verstehe ich das kaum erträgliche Enthüllen von Vorgängen, die schon längst vor Einwirkung des Christentums die abendländische Ethik dem Bereich zugerechnet hat, ›quod natura ipsa velavit‹; nur so die Ausfälle gegen die angeblich erstickende Atmosphäre am Tische des als klug und liebenswürdig bekannten deutschen Botschafters; nur so auch das unwürdige Spiel mit gesellschaftlichem Klatsch und die ungeheuerliche Bloßstellung von Damen und Herren, darunter Geistern von hohem Rang, aus dem Kreise Pariser Intellektueller, in dessen Mitte der Dichter gastlich aufgenommen worden war, und der von ihm schon deshalb Zurückhaltung in seiner etwaigen Kritik wohl erwarten durfte.

Der Befriedung Europas dient ein Radikalismus, wie er in solchen Entgleisungen zutage tritt, sicherlich nicht. Denn aufs Ganze gesehen, ist Europa trotzdem der Kontinent des organischen Aufbaus, und seine Entwicklung beruht in weitem Umfange auf Umlagerung. Verwandlung, Intensivierung an sich unverlierbarer Kräfte. Unruh selbst betont gelegentlich – es ist dies einer der wenigen Fälle, in denen er ein geschichtliches Phänomen bejaht –, wie der Geist der Gotik die europäische Gefühlseinheit einmal nahezu verwirklicht habe. Das Wesen dieses Geistes aber war, neben dem verschmelzenden Feuer des gemeinsamen Glaubens, Bindung durch gemeinsame innere Form. Die alte aristokratische Lebensauffassung hat für diese innere Form, die auf ihrer höchsten Stufe fremdes wie eigenes Recht, fremde wie eigene Ehre achtet und damit Goethes dreifacher Ehrfurcht nahe verwandt ist, den Begriff der Ritterlichkeit geprägt. Auf das vielleicht nicht zeitgemäße Wort kommt es nicht an. Das Gebot der Zukunft ist aber nicht so sehr die Preisgabe sozialethischer Bindungen wie ihre Veredelung und Vertiefung und die Ausdehnung ihres Geltungsbereichs nicht nur auf die Volksgenossen, sondern auch auf das Verhältnis von Volk zu Volk: ohne eine in diesem Sinne verstandene Ritterlichkeit wird auch Europa vom Geist des Hasses und Mißtrauens nicht genesen. Auf dieser Ebene hätte gerade auch der Dichter, der so nachdrücklich nach Gehör in der ›Politeia der Völker‹ verlangt, seine weltgeschichtliche Aufgabe. Aber sie ist nicht lösbar ohne gerechte Wertung alles Menschlichen, nicht lösbar vor allem ohne verstehende Liebe auch zum eigenen Volk als körperhaftem, nicht als ideellem Gebilde, mit allen seinen geschichtlichen Bedingtheiten. Noch vermag auch Fritz von Unruh, wie so viele in der Qual des deutschen Schicksals, den oberhalb von Zeitwirrnis und Leidenschaft ruhenden Standpunkt nicht zu gewinnen. Die wir aber seit Jahren seinen Aufstieg mit innerem Anteil begleitet haben, hoffen nach wie vor, daß auch ihm das Chaos dereinst noch den Stern gebiert.«

Vgl. hierzu auch den Brief H. v. H.'s an Carl J. Burckhardt vom 4. Mai 1925 (›Briefwechsel‹, 2. Aufl., S. 184), worin es heißt: »In dem ersten Heft der Rohan'schen Zeitschrift fand sich aus der Feder von Alfred Nostitz (den Sie kennen, aber kaum nach seinem Wert) eine überaus würdevolle und durch ihre Zurückhaltung gewichtige Abweisung des Unruh'schen Buches (dieses Buch – das seine Begegnungen in Paris schildert); ich schrieb ihm und erhielt einen unendlich warmen und schönen Dankbrief, den ich fast gerne beilegen würde, weil er den ganzen scheuen zarten – durch ein übermäßiges Verantwortungsgefühl fast fürs Leben verdorbenen Menschen zeigt.«

Die Wahl Hindenburgs: Paul von Hindenburg war am 26. April 1925 zum Reichspräsidenten gewählt worden. Vgl. hierzu den Brief H. v. H.'s an Carl J. Burckhardt vom 4. 5. 1925, in dem er Äußerungen A. v. N.'s zu diesem Thema zitiert.

156 H. v. H. an A. v. N. 14. 5. 25

P. Viénot: H. v. H. hatte Pierre Viénot (1897–1944), der damals dem Kabinett von Marschall Lyautey angehörte, auf seiner Marokkoreise kennengelernt und setzte ihm als P. V. in ›Das Gespräch in Saleh‹ ein Denkmal. Viénots Aufsatz in der › Revue de Genève‹ war das erste Kapitel seines 1931 in Paris erschienenen scharfsichtigen Buches ›Incertitudes allemandes. La crise de la civilisation bourgeoise en Allemagne‹, eines Ertrages seines Berlinaufenthaltes als Sekretär des ›Deutsch-französischen Studienkomitees‹, dessen deutscher Vorsitzender A. v. N. war. P. V. wurde später Abgeordneter und Staatssekretär; er starb in London als Botschafter des französischen »Gouvernement Provisoire« bei der britischen Regierung.

156 H. v. H. 17. 11. 1927

es war eine große Freude: H. v. H. hatte sich Anfang November, u. a. zu Besprechungen mit Reinhardt, fünf Tage in Berlin aufgehalten. Das Ehepaar Nostitz wohnte damals in der Maassenstraße 33, nahe dem Lützowplatz.

Scheler: Max Scheler, 1874–1928. Philosoph und Soziologe, der namentlich auf den Gebieten der ›Wertethik‹, Religionsphilosophie und Wissenssoziologie wichtige Impulse gab.

Freud: Sigmund Freud, 1856–1939. Der Begründer der Psychoanalyse.

Dr. Würzbach: Friedrich Würzbach, 1886–1961. Nietzscheforscher, vor und nach der nationalsozialistischen Ära Präsident der Nietzschegesellschaft.

157 H. v. N. 19. 11. 1928

meinem Geburtstag: H. v. N.'s 50. Geburtstag.

Ihr lieber Brief: dieser letzte Brief, der offenbar zur Einführung Anton Faistauers diente, ist nicht erhalten.

Faistauer: Anton Faistauer, 1887–1930. Österreichischer Maler; von ihm stammen die Fresken des Salzburger Festspielhauses und ein Porträt H. v. H.'s.

Däubler: Theodor Däubler, 1876–1934. Lyriker und Epiker.

Clauss: Dr. Max Clauss, geb. 1901. Journalist, damals Schriftleiter der ›Europäischen Revue‹.

Ihren Sohn: Franz v. H., 1903–1929.

Potsdamer Buch: H. v. N., ›Potsdam‹, Berlin, 1930.

Proust . . . der letzte Band: Marcel Proust (1871–1922), ›A la Recherche du Temps perdu, Tome VIII, Le Temps retrouvé‹, Paris, 1927. Die Bemerkung bezieht sich auf Chapitre III (suite), S. 80 ff. der Erstausgabe.

an den schönen Nachmittag in Ernstbrunn: diese letzte Begegnung der Freunde hatte im August 1928 stattgefunden, nicht ganz ein Jahr vor Hofmannsthals Tod am 15. 7. 1929.

H. v. N. schreibt darüber in ›Aus dem alten Europa‹: »Und endlich kam jener Sommertag im Schloß Ernstbrunn des Prinzen Reuß, nicht weit von Wien, wo wir den Freund zum letzten Mal sehen sollten. Er war entzückt von der erlesenen, ungewöhnlich reichen Bibliothek des Hausherrn, und sie gewann durch ihn vielfältiges Leben. Auf allen Gebieten machte sich wieder seine umfassende Kenntnis geltend und sein differenziertes Gefühl, das in sich eine Vielfalt von Kulturen vereinigte – und dabei stets den inneren Zusammenhang aller äußeren Erscheinungen sah ... In dem einen Salon von Ernstbrunn hingen alte Stiche von Wien, und bei ihrer Betrachtung leuchtete auch all seine Liebe für Heimatstadt und Heimaterde wieder auf. Er kannte alle Winkel, wußte auch um alle Umbauten, durch die das Stadtbild später verändert worden war. Maria Theresia, Prinz Eugen erwachten durch ihn wieder zum Leben. In dieser Umgebung erschien er wirklich als der letzte Dichter des Barock, wie er wohl genannt worden ist. Und doch war er auch der Dichter des ›Turms‹ und rang mehr denn je mit den Problemen von Gegenwart und Zukunft. Vor einigen Wochen noch hatte er uns die ergreifend schöne und tiefe Rede über ›Das Schrifttum als geistigen Raum der Nation‹ gesandt. Es sollte seine letzte, von freundlicher Widmung begleitete Gabe sein – und blieb uns nun ein geistiges Vermächtnis.

An jenem Sommertage aber durchschritten wir noch einmal gemeinsam die weiten Räume des Schlosses – die Bildergalerien, den Musiksaal, in deren Stimmung noch dies Festliche schwebte, das Hofmannsthal so liebte und das er im ›Abenteurer‹ und im ›Rosenkavalier‹ so bezaubernd gestaltet hat – und zugleich die Wehmut der Vergänglichkeit. Wir betrachteten die Familienporträts, wie das des einen Prinzen Reuß, der zu Guys Zeiten viel in Paris gelebt hatte, in der eigentümlich koketten Tracht jenes Jahrhunderts; dann ging es in den Park hinaus. Wir saßen unter dem großen Kastanienbaum, in der Ferne die österreichische Landschaft, und sprachen von den Nachbargütern, insbesondere von dem ihm unheimlichen Schloß des Grafen W. mit der seltenen Donatellosammlung; Hofmannsthal konnte in der schönsten Umgebung plötzlich eine Teufelskralle verspüren, die ihm den Atem beengte. Noch freute er sich an dem Spiel der Kinder auf den weiten Rasenflächen. Und dann fuhr das Auto vor. Es gehörte zu seiner Eigenart, daß er intensive Abschiede nicht liebte. Auch von den nächsten Freunden pflegte er sich mit nur kurzem und fast trockenem Lebewohl zu trennen. Aber eine seltsame Wehmut ergriff mich, als er dann aus dem Wagen noch einmal zurückwinkte. Etwas Letztmaliges lag in diesem Fortgehen, wie über dem ganzen, doch so strahlenden Tag – ich wußte damals nicht weshalb.«

... von der erlesenen, ungewöhnlich reichen Bibliothek: sie wurde, als das Schloß Ernstbrunn in den Kämpfen vor Ende des zweiten Weltkrieges schwer beschädigt wurde, völlig vernichtet.

des ›Turms‹: ›Der Turm. Ein Trauerspiel in 5 Aufzügen.‹ E: Verlag der Bremer Presse, München, 1925. In veränderter Bühnenfassung: SFV, 1927. Beide Fassungen jetzt in Dramen IV.

›Das Schrifttum als geistiger Raum der Nation‹: Rede, gehalten im Auditorium maximum der Universität München am 10. Januar 1927. E: ›Die Neue Rundschau‹, 1927. Jetzt in Prosa IV.

207